MYTHES DE LA GRÈCE ANTIQUE

MYTHES DE LA GRÈCE ANTIQUE

CONTÉS PAR
EDUARD PETIŠKA

ILLUSTRÉS PAR
LUDĚK MAŇÁSEK

GRÜND

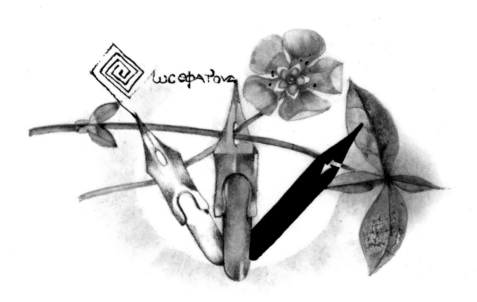

Adaptation française d'Alain Gründ
Texte original de Eduard Petiška
Illustrations de Luděk Mañásek
Maquette de Markéta Tichá et Pavel Gaudore

Première édition française 1998 par Librairie Gründ, Paris
© 1998 LIBRAIRIE GRÜND pour l'édition française
© 1971 LIBRAIRIE GRÜND pour le texte paru dans la collection
« Légendes et contes de tous les pays ».
ISBN : 2-7000-1237-2
Dépôt légal : août 1998
Édition originale 1998 par Aventinum, Prague,
sous le titre *Řecké báje*
© 1998 AVENTINUM NAKLADATELSTVÍ, s.r.o.

Imprimé en République tchèque
1/23/10/53-01

Loi n° 49-956 du 16 juillet 1949 sur les publications destinées à la jeunesse

SOMMAIRE

LES GRECS

Au-dessus du paysage montagneux de la Grèce, le ciel est d'un bleu éclatant et ressemble à la surface infinie de la mer voisine. Il y a vingt-cinq siècles, le ciel était de la même couleur, mais dans le pays la vie était bien différente de ce qu'elle est aujourd'hui.

Dans ce temps-là, il y avait des endroits où les personnages des dieux et des héros devenaient vivants : les théâtres.

Essayons d'imaginer une visite dans un théâtre de la Grèce antique.

Nous sommes au cinquième siècle avant notre ère. Le soleil brille, et c'est heureux car le théâtre est en plein air. Mais nous devons nous dépêcher, car bien que les gradins puissent contenir dix-sept mille personnes, une foule de spectateurs se pressent depuis les premières heures de la matinée, sur la route qui conduit au théâtre. Il nous faut de l'argent, car l'entrée coûte deux oboles. Mais si nous étions pauvres et n'avions pas assez d'argent pour payer, nous pourrions entrer et assister à la représentation gratuitement, et nos places seraient payées par l'État.

Nous mêlant à la foule qui se hâte, nous pénétrons dans le théâtre par une grande voûte de pierre. On ne se croirait pas du tout dans un théâtre comme on en connaît aujourd'hui, mais plutôt dans un stade en plein air.

Les gradins sont construits à flanc de colline, et forment un demi-cercle autour de la scène. La voûte par laquelle nous sommes entrés débouche au centre, dans une zone que les anciens Grecs appelaient l'orchestre, et où la compagnie théâtrale se rassemblait pendant le spectacle. Les gradins s'élèvent tout autour, formant une sorte de gigantesque escalier. Les bancs sont larges et ne comportent pas d'accoudoirs. Seuls ceux du premier rang en comportent, ils sont réservés aux prêtres, aux personnages importants et aux invités de marque. Ce premier rang n'est pas encore occupé, mais le reste du théâtre est rempli pratiquement jusqu'à la dernière place. Le soleil projette une lumière crue. Beaucoup de spectateurs s'en protègent en portant des chapeaux à large bord. Ils essuient la sueur qui coule sur leurs fronts et les conversations font un bruit semblable à celui du ressac.

Où allons-nous nous asseoir ? Peut-être ici, près de cet homme barbu assis au sixième rang ? Il porte un chiton de cérémonie à longues manches. Ce vêtement ressemble à une grande chemise dont les plis amples lui tombent jusqu'aux chevilles. L'homme est silencieux et

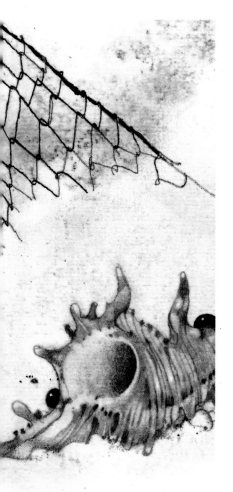

regarde en bas, en direction du premier rang. Nous lui demandons ce qu'on joue aujourd'hui, et il est surpris de constater que nous ne le savons pas. C'est *Œdipe-Roi*, de Sophocle. Il dit qu'il connaît bien la pièce, qu'il l'a déjà vue et qu'il est très impatient de la revoir.

Les invités de marque arrivent à présent, et remplissent la première rangée. Le théâtre est plein maintenant, y compris les places les plus éloignées qui sont occupées par les esclaves. La pièce va certainement bientôt commencer.

Le proscenium, c'est-à-dire la scène, qui se dresse juste derrière l'espace semi-circulaire de l'orchestre, ne ressemble pas non plus à une scène de théâtre moderne. C'est une construction de pierre, large, mais pas profonde du tout. Trois entrées débouchent de l'arrière de la construction sur l'endroit où se jouent les pièces. Le fond est recouvert d'un décor simulant un palais, comme le veut la pièce que l'on représente aujourd'hui. On peut tout voir très facilement, car il n'y a pas de rideau. Dans un instant, l'acteur principal va faire son entrée par la porte centrale. Le deuxième et le troisième acteur, eux, pénétreront par les deux entrées latérales.

Les acteurs sont au nombre de trois, et pas plus. Ils alternent sur scène et jouent tous les rôles, d'hommes ou de femmes. Quand ils doivent changer de rôle, ils se retirent un instant derrière la scène et changent rapidement de costume. Bien sûr, un certain nombre d'autres personnages apparaissent aussi sur scène, mais ils ne prennent jamais la parole. Heureusement, il n'est pas très difficile de changer de costume, comme ce l'est de nos jours. Et en plus, les acteurs n'ont pas à se maquiller : ils jouent le visage recouvert de masques, et ces masques sont faits selon des règles bien précises. Pour une tragédie, par exemple, on utilise des masques différents de ceux qu'on utilise pour une comédie.

Les acteurs sont prêts maintenant, chacun devant la porte qu'il empruntera pour entrer sur scène. Et, rassemblés devant l'entrée de l'orchestre, cachés aux regards de l'assistance, les membres du chœur attendent eux aussi. Le chœur, par ses chants, révélera à l'assistance les éléments de l'intrigue qu'elle ne pourrait connaître par l'intermédiaire des acteurs eux-mêmes.

Sophocle, qui écrivit cette tragédie *Œdipe-Roi*, écrivit un grand nombre d'autres tragédies. Lui et son prédécesseur Eschyle forment avec son successeur Euripide le célèbre « trio » des dramaturges grecs.

Dans leurs pièces, on rencontre à peu près tous les personnages dont nous avons parlé dans ce livre. Mais avant que ces mythes et ces légendes ne soient ainsi représentés sur scène, les gens se les racontaient près de leurs feux de camp ou quand ils faisaient paître leurs troupeaux. Les aèdes aveugles les chantaient souvent au cours des repas de cérémonie, bien avant que personne ait songé à les écrire.

Quelques-uns de ces récits nous sont parvenus grâce à l'œuvre du plus grand des poètes grecs, Homère. Il écrivit un long poème à propos des voyages d'Ulysse, « L'Odyssée », et un poème sur la guerre de Troie, « L'Iliade ».

Pendant que nous parlions, la représentation a commencé. Le roi Œdipe est entré en scène avec un serviteur et un prêtre de Zeus. Comme la scène n'est pas profonde, les acteurs ne sont pas groupés, mais se tiennent sur un rang face au public. L'aspect de cette scène et des acteurs qui l'animent est un motif que l'on retrouve souvent sur les vases grecs.

Œdipe attend Créon, qu'il a envoyé consulter l'oracle de Delphes. Le Destin, dont les Grecs pensaient qu'il était plus puissant que les dieux, va s'accomplir. L'assistance est devenue silencieuse. Aujourd'hui, les spectateurs ne taperont pas du pied, ne siffleront pas et ne feront pas claquer leur langue, comme ils le font lorsque la pièce ne leur plaît pas. Celle-ci est une pièce sérieuse, tragique même, elle parle des forces obscures et mystérieuses qui gouvernent les vies des hommes. Aux yeux des Grecs de l'Antiquité, il y avait beaucoup de ces forces mystérieuses. À cette époque beaucoup de choses ne pouvaient être expliquées rationnellement, et ce que les gens ne comprenaient pas, ils pensaient que c'était l'œuvre de quelque puissance mystérieuse.

Chaque fois que les hommes se trouvaient en face d'un phénomène inexplicable, ils inventaient des forces mystérieuses, des êtres énigmatiques, des monstres, des nymphes ou des dieux. Mais les monstres ressemblaient à des créatures réelles que les hommes connaissaient bien. Et les nymphes et les dieux avaient des caractères humains. Même les dieux se mettaient en colère, riaient, mangeaient et buvaient bien, avaient des enfants et se battaient entre eux pour comparer leurs forces.

Chacun des dieux régnait sur quelque chose. De la sorte, les Grecs adressaient toujours leurs sacrifices à un dieu en particulier, en fonction du genre d'aide qu'ils sollicitaient. S'ils désiraient connaître l'avenir, ils offraient un sacrifice à Apollon, le dieu des augures et des prédictions.

Ils priaient Déméter, déesse de l'agriculture, pour avoir une belle récolte.

D'après une vieille légende, les dieux vivaient sur le mont Olympe, et ils étaient très nombreux. Les anciens Romains avaient des dieux similaires, dont les noms sont en général plus connus que ceux des dieux grecs.

Le plus puissant de tous les dieux était Zeus (Jupiter pour les Romains) ; il était le seigneur du ciel et de la terre, il régnait sur les tempêtes, la foudre et le tonnerre. Le bonheur et le malheur, la renommée et les richesses étaient accordés par Zeus.

La femme de Zeus était la déesse Héra (Junon pour les Romains). Elle était la plus puissante des déesses, la reine de l'Olympe.

La fille de Zeus s'appelait Pallas Athéna (Minerve pour les Romains). Elle était la déesse de la sagesse, la protectrice des hommes sages et courageux. Les.Grecs lui avaient dédié la chouette.

Le fils de Zeus était Héphaïstos (Vulcain pour les Romains), le dieu du feu et des forges. Il était supposé avoir ses ateliers et ses forges sous les volcans en éruption. Il était fort laid, mais c'était un merveilleux artisan.

Apollon était, lui, le dieu de la lumière, des prédictions et de l'art des poètes. Pour cette raison, il commandait aux neuf Muses, déesses moins importantes qui chacune protégeait un art en particulier.

Artémis (Diane des Romains), la déesse de la chasse, était sa sœur.

Le dieu de la guerre, toujours assoiffé de sang, était Arès (Mars pour les Romains).

La belle déesse Aphrodite (Vénus des Romains) était aussi une très importante divinité. Elle était la déesse de l'amour et de la beauté, et le nom de son fils était Éros (Cupidon chez les Romains).

Hermès (Mercure pour les Romains) était le messager des dieux. Il était capable de transmettre rapidement les ordres de Zeus grâce à ses sandales ailées qui le portaient partout où il voulait. Il était le protecteur des commerçants et des voyageurs.

Le joyeux dieu du vin était Dionysos (Bacchus des Romains). Hestia (Vesta chez les Romains) était la déesse du foyer. La déesse de l'agriculture et de la fertilité du sol s'appelait Déméter (Cérès chez les Romains).

Poséidon (Neptune chez les Romains) était le maître des mers, et avec son trident il pouvait provoquer ou calmer les tempêtes. C'était le frère de Zeus.

Le dieu Hadès (Pluton chez les Romains) gouvernait le royaume des

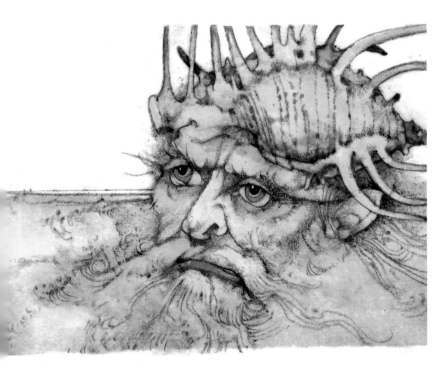

morts, le monde souterrain. Hadès était aussi un frère de Zeus, et sa femme s'appelait Perséphone (Proserpine chez les Romains).

En plus de ceux-là, les Grecs avaient beaucoup d'autres dieux de moindre importance, et notamment Éole, qui régnait sur les vents, et Éos (que les Romains appelaient l'Aurore), la déesse de l'aube. Les déesses de la vengeance, les Érinyes (appelées Furies par les Romains), étaient l'image de la mauvaise conscience.

Nous pouvons savoir aujourd'hui comment les Grecs imaginaient leurs dieux et leurs héros grâce aux statues qu'ils en ont faites et surtout grâce aux vases peints qu'ils nous ont laissés.

Ces représentations, bien sûr, ne sont pas seulement celles des dieux et des héros, mais aussi celles d'animaux légendaires de toutes sortes. Évidemment, des animaux semblables n'ont jamais existé. Tous ces dragons et tous ces monstres à propos desquels les aèdes composaient des chants pour les banquets et les théâtres étaient en fait la projection des nombreux désastres qui pouvaient frapper les populations en ce temps-là. Le monstre qui crachait du feu et de la fumée était probablement un redoutable volcan, une bête qui

dévorait les hommes était peut-être une épidémie terrible, et le terrifiant serpent de mer était sans doute une inondation. Encore une fois, tout ce qui paraissait inexplicable était attribué par les Anciens à l'action de quelque créature mystérieuse.

Plusieurs légendes, d'autre part, exprimaient les rêves et les désirs des gens. Depuis toujours l'homme a rêvé de voler dans les airs comme les oiseaux. Il y parvenait dans la légende. Il enfourchait Pégase, le cheval ailé, ou il se construisait des ailes comme Dédale.

De nos jours, on dit parfois d'une personne à l'imagination débordante qu'elle vole sur les ailes de Pégase. Pégase est devenu le symbole du rêve poétique.

Nous utilisons dans la conversation beaucoup de phrases empruntées à la mythologie grecque, des expressions comme : « le talon d'Achille », « le lit de Procuste », « aussi fort qu'Hercule » (nom romain d'Héraclès).

Les exploits des héros nous font revenir vers l'histoire des hommes. Ils connaissaient des aventures

extraordinaires, mais ils n'étaient pas fameux seulement parce qu'ils faisaient des choses surprenantes. Ils étaient fameux parce que leurs actions de bravoure aidaient les gens ordinaires.

Dans l'Antiquité, il fallait de l'héroïsme pour tuer une bête sauvage, même si ce n'était pas un dragon. En racontant les aventures de héros, les gens ne faisaient qu'ajouter à un fond de vérité. Ils aimaient aussi envoyer, dans leurs récits, les héros combattre ces forces mystérieuses contre lesquelles ils se sentaient eux-mêmes désarmés, dont ils avaient peur et qu'ils se représentaient sous forme de monstres et de dragons terribles. Prométhée et Héraclès se mesuraient même aux dieux, Prométhée grâce à sa ruse et Héraclès grâce à sa force.

Les héros de la Grèce antique donnaient aux gens courage et espoir. Les vieilles légendes disaient : si vous voulez comprendre les choses qui vous dépassent, agissez comme les héros, soyez courageux, soyez justes et vous réussirez dans vos entreprises.

ÉROS
ET PSYCHÉ

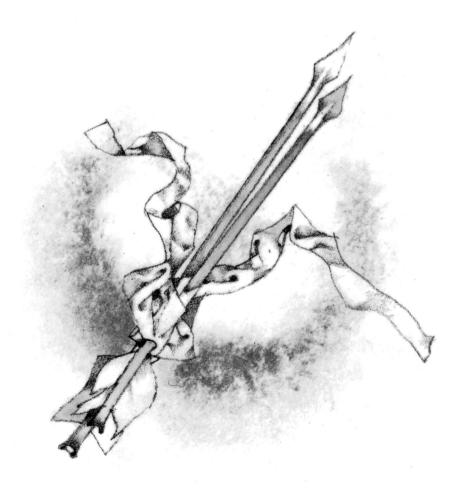

Il y a bien, bien longtemps vivaient une reine et un roi qui avaient trois filles. L'aînée était belle, la seconde encore plus, quant à la troisième, elle était plus ravissante que les astres du ciel. Elle s'appelait Psyché.

Les gens venaient de pays très lointains, traversaient des mers, escaladaient des montagnes dans le seul but de l'admirer.

Lorsqu'elle sortait du palais, ils la regardaient avec émerveillement et s'écriaient :

« C'est la déesse de la beauté et de l'amour, Aphrodite, qui a quitté l'Olympe pour venir nous voir. Aucune enfant de parents humains ne pourrait être aussi belle », disaient les uns.

« Oh non », prétendaient d'autres, « ce n'est pas la divine Aphrodite. C'est une nouvelle déesse qui la surpasse en beauté et en puissance. »

Et ils se prosternaient, l'adoraient, lui offraient des sacrifices. Lorsque Psyché marchait dans la rue, celle-ci s'animait comme pour une fête et son chemin était jonché de fleurs.

Pendant ce temps les temples consacrés à Aphrodite étaient désertés par les fidèles. Les araignées y tissaient leur toile, la cendre sur les autels était depuis longtemps refroidie et personne n'immolait plus de victimes à la déesse déchue. Les marches des sanctuaires se recouvraient peu à peu de mousse et de mauvaises herbes. Tous étaient occupés à adorer Psyché et oubliaient Aphrodite.

Voyant sa renommée en péril, celle-ci ne put supporter une telle humiliation et convoqua son fils, Éros, pour l'aider à punir la folle princesse. Le fils ailé de la déesse s'envola aussitôt pour la rejoindre. Sa main droite tenait un arc et il portait sur son dos un carquois rempli de flèches. Celles-ci, bien qu'invisibles à l'œil humain, atteignaient à coup sûr la victime choisie et la blessaient d'amour. Or l'amour, s'il procurait à certains un bonheur ineffable, pouvait être aussi source de grands malheurs.

« Mon enfant », dit Aphrodite, « il y a sur la terre une princesse du nom de Psyché. Elle est assez impudente pour se permettre de se faire adorer telle une déesse. Tu vas m'aider à la châtier en transperçant son cœur d'une flèche. Mais celle-ci ne doit pas lui apporter la joie, bien au contraire. Je veux qu'elle épouse l'homme le plus mauvais qu'elle pourra rencontrer. Personne ne s'occupera plus d'elle lorsqu'elle sera malheureuse et humiliée. Le feu sacré s'élèvera à nouveau sur mes autels et le parfum des sacrifices s'élèvera jusqu'aux cieux. »

Éros acquiesça et s'envola pour accomplir la volonté maternelle.

Il se cacha au sommet d'un arbre devant le palais royal et prit une flèche dans son carquois. Tout autour de la demeure seigneuriale s'étaient rassemblés des pèlerins qui attendaient la sortie de la ravissante princesse.

Elle apparut bientôt, rayonnante de beauté. La main d'Éros qui tenait l'arc retomba et il regarda Psyché avec admiration. Puis il remit la flèche dans le carquois et s'envola. C'était la première fois qu'il désobéissait à sa mère Aphrodite.

Bien qu'elle soit révérée par tous, Psyché n'était pas heureuse. Ses sœurs, moins jolies qu'elle, étaient déjà mariées et étaient parties avec leurs époux. Mais personne n'osait faire la cour à une si jolie princesse.

Aussi le roi pensait-il que c'était là une punition des dieux, et c'est pourquoi il demanda à l'oracle ce qu'il fallait faire.

Voici ce qui lui fut répondu :

« Habille Psyché de vêtements funéraires, ce sera sa parure de mariage. Emmène-la au sommet de la falaise qui est derrière le palais. C'est là que son fiancé viendra la chercher : ce n'est pas un être humain et il sait des choses terribles. »

C'est en pleurant que le roi accueillit cette prédiction. Sa fille préférée n'était donc pas née pour l'amour humain et un monstre allait s'en emparer sur la falaise ! Pourtant il n'osa pas désobéir à la volonté des dieux.

Il prépara donc une fête funèbre, convoqua des musiciens et leur ordonna de jouer leurs airs les plus tristes, puis il vêtit sa fille comme s'il allait l'enterrer. Lorsque la lumière des torches se fut éteinte et que le silence fut revenu, Psyché sortit du palais pour la dernière fois.

Le roi, la reine et tout le peuple, en larmes, l'accompagnèrent jusqu'à l'endroit fatal.

Elle gravit la falaise seule et s'assit en pleurant d'angoisse tandis qu'un gros nuage noir l'enveloppait. C'est alors que Zéphyr, le vent d'Ouest, repoussa soudain la nuée et, prenant tendrement la princesse dans ses

bras, la fit descendre dans une vallée embaumée parsemée de fleurs et d'herbes veloutées. Il essuya ses larmes et Psyché regarda autour d'elle.

Elle vit un bois dont les arbres murmuraient doucement et une source limpide qui scintillait dans leur ombre. Non loin de là s'élevait un somptueux palais aux murs d'argent et au toit fait d'or et d'ivoire.

La jeune fille s'en approcha timidement. Les grandes portes étaient ouvertes et laissaient apercevoir les rayons multicolores des parquets, incrustés de pierres précieuses.

« Qui donc peut habiter un palais aussi splendide ? » se demandait Psyché. Elle gravit la première marche de l'escalier, puis la deuxième, puis la troisième. Rassurée, elle courut jusqu'en haut du perron, risqua un coup d'œil à l'intérieur et entra dans la demeure.

Elle traversa plusieurs pièces vides sans apercevoir âme qui vive et, tandis qu'elle admirait les vases précieux et les statues de marbre, elle entendit la voix d'un être invisible :

« Sois la bienvenue dans mon domaine, Psyché. Tout ce que tu vois t'appartient aussi à partir d'aujourd'hui. Si tu as le moindre désir, exprime-le et mes serviteurs se feront une joie de l'accomplir. »

La princesse souhaita prendre un bain, et aussitôt elle fut transportée dans un bassin d'eau parfumée. Après quoi elle trouva une table couverte des mets et des boissons les plus raffinés. Lorsqu'elle eut fini de dîner, un chanteur et des musiciens invisibles la surprirent et la charmèrent. Elle écouta les douces mélodies jusqu'à ce que ses yeux se ferment de fatigue. Alors elle trouva dans la pièce suivante un lit accueillant.

Elle se coucha, épuisée, mais ne put s'endormir tant elle était intriguée par le merveilleux palais et par l'époux promis par l'oracle. Puis elle pensa à ses parents, qui devaient être fort inquiets.

L'obscurité tomba, et ce fut la nuit. Dans le noir elle entendit le bruit d'une respiration : quelqu'un qu'elle ne pouvait pas voir s'approchait de sa couche, et lorsqu'il fut tout près d'elle il lui adressa la parole :

« Je suis ton mari, Psyché. N'aie pas peur de moi. Tu ne manqueras de rien. Mes serviteurs invisibles s'occuperont de tout. Mais tu ne devras jamais apercevoir mon visage. C'est pour cela que je te rejoindrai seulement le soir et ce n'est que dans l'ombre que tu pourras me parler. »

La voix de l'étrange époux était si charmante et si tranquille que la princesse cessa d'avoir peur. Elle promit qu'elle n'essaierait pas de voir son mari et qu'elle lui serait fidèle.

Pendant des journées entières Psyché vécut toute seule.

Elle parcourait la riche demeure, et la seule joie qu'elle connaissait était de rencontrer son époux la nuit.

Le roi et la reine auraient aimé avoir des nouvelles de leur fille. Ils se remémoraient l'affreux présage et supposaient qu'elle avait dû être emportée par un dragon. Ses sœurs, qui avaient entendu parler du triste destin de leur cadette, étaient venues réconforter leurs parents.

Ce soir-là, le mari inconnu dit à Psyché :

« Ma chérie, un grand danger te guette : demain tes sœurs graviront la falaise et se mettront à t'appeler en pleurant et en gémissant. Sans doute tu les entendras, mais il ne faut absolument pas que tu leur répondes. »

La jeune femme se souvint alors de son pays natal. Elle se mit à verser d'abondantes larmes et supplia son époux de lui permettre d'inviter ses sœurs.

Elle leur dirait qu'elle allait bien, et ainsi son père et sa mère seraient rassurés sur son sort.

Elle insista tellement qu'à la fin son mari céda. Il lui permit même de leur faire des cadeaux, mais lui défendit de dire la vérité à son sujet.

Psyché le remercia et lui renouvela sa promesse de ne pas parler de l'invisible étranger. Elle avait hâte d'être au lendemain et de revoir ses

sœurs après une aussi longue séparation.

Le jour se leva enfin. Les sœurs demandèrent le chemin qui menait en haut de la falaise et allèrent jusqu'au sommet. Là, elles se mirent à gémir, à se lamenter, et à appeler Psyché par son nom. Celle-ci les entendit et envoya le vent d'Ouest pour qu'il les ramène au palais. Zéphyr étendit ses ailes translucides et les fit descendre toutes les deux dans la vallée.

La jeune princesse les embrassa en riant gaiement, les assourdissant de questions et de bavardages. Les sœurs se réjouirent de même, mais devant la magnifique demeure, elles n'eurent qu'un sourire. Et lorsque leur cadette leur eut fait visiter les chambres aux boiseries incrustées de pierres précieuses, elles cessèrent même de sourire. Psyché ordonna à ses serviteurs invisibles de préparer un bain et de dresser les tables.

Les sœurs se baignèrent, goûtèrent des mets qu'elles n'avaient jamais mangés et burent des breuvages qu'elles n'avaient jamais bus.

Pâles d'envie, elles demandèrent :
« Et quand nous montreras-tu ton mari ? »

La princesse, se souvenant des recommandations de son époux, ne répondit pas. Mais les jalouses la pressèrent de questions, se moquant d'elle et voulant la forcer à parler.

Psyché, souhaitant éviter la suite de l'interrogatoire, leur dit la première chose qui lui vint à l'esprit :

« Il est jeune et passe ses journées à la chasse, c'est pourquoi vous ne pourrez pas le voir. »

Puis elle se hâta de leur distribuer de l'or et des pierres précieuses, et appela Zéphyr pour qu'il les ramène sur la terre.

Les sœurs emportèrent ces riches présents, mais ceux-ci ne leur procurèrent aucun plaisir.

Elles enviaient leur cadette, et leur jalousie était amère. L'aînée exprima ainsi sa vilaine pensée :

« Je me demande si Psyché mérite de vivre dans un tel luxe et d'être servie par des serviteurs invisibles comme si elle était une déesse. Et moi, qu'ai-je donc ? Un misérable mari. Il pèse la moindre obole dix fois avant de la donner, et il est tellement avare qu'il serait heureux de voir les poutres pourrir au-dessus de sa tête plutôt que d'en mettre des neuves. »

« Et que dis-tu mien ? » rétorqua la seconde. « Il est vieux et malade. Jamais il ne va chasser. La maison tout entière sent les médicaments et les tisanes. Psyché, elle, est entourée de la suave odeur d'huiles et de parfums coûteux. Ne sommes-nous pas plus âgées qu'elle ? De quel droit

aurait-elle tout et nous rien ? Nous ferions bien de ne pas raconter à nos parents ce que nous avons vu : pourquoi devrions-nous répandre l'histoire de son bonheur ? »

Ayant convenu de dissimuler ce qu'elles avaient appris, les sœurs rentrèrent au palais royal en faisant semblant de ne pas avoir retrouvé leur malheureuse cadette.

Dans le secret de leurs cœurs, elles ne pensaient qu'à faire du mal à la pauvre Psyché.

Celle-ci était très heureuse d'avoir résisté aux questions et de n'avoir pas dévoilé son secret. Lorsque l'obscurité fut venue, elle entendit à nouveau la voix de son époux, qui la félicita de son silence.

Mais il ajouta tristement :

« Je me demande quand même si tu ne me trahiras pas à la deuxième entrevue. Tes aînées t'envient et elles reviendront sûrement. Ne leur parle pas de ton mari et n'espère pas savoir qui je suis. Si tu me voyais une seule fois, tu me perdrais pour toujours et nous ne serions plus jamais réunis. »

Une fois encore Psyché renouvela sa promesse. Ainsi que l'avait prédit l'inconnu, les envieuses créatures revinrent bientôt. Sans même attendre Zéphyr, elles se jetèrent dans le vide où le vent d'Ouest les rattrapa. Il les déposa à nouveau sur la prairie devant le palais.

Psyché les reçut avec joie, les fit souper et leur donna des cadeaux. Les sœurs se mirent à bavarder en racontant ce qui se passait sur terre.

« Tu aurais dû voir nos parents », mentaient-elles. « Comme ils étaient contents de ton bonheur ! "Et qui est son mari ?" nous demandaient-ils. "Nous ne l'avons pas vu, Psyché ne nous le montrera pas avant notre prochaine visite." »

Oubliant l'histoire qu'elle avait inventée, la princesse s'écria :

« Mais il n'est pas à la maison : il est assez âgé et il est toujours en voyage. »

Puis elle appela immédiatement Zéphyr et lui ordonna de reconduire ses sœurs.

Lorsque celles-ci furent rentrées chez elles, l'aînée s'exclama :

« Comme c'est étrange, la dernière fois elle avait dit que son mari était jeune et, aujourd'hui, elle a dit qu'il était vieux. »

« Ou bien elle ne l'a jamais vu », dit la seconde, « ou bien elle ment. Nous devons y retourner encore une fois pour apprendre la vérité. »

Les deux envieuses passèrent la nuit au palais de leurs parents, attendant avec impatience le jour suivant.

Le lendemain, dès l'aurore, elles coururent au sommet de la falaise et Zéphyr les emporta. Elles avaient hâte de retrouver leur cadette.

« Ô chère petite sœur, ô pauvre

petite Psyché ! » s'écrièrent-elles en essayant de verser quelques larmes, « tu ne sais pas ce qui t'attend : sais-tu seulement qui est ton mari ? L'oracle avait dit vrai, il n'est pas un être humain comme nous mais un horrible dragon. »

La figure effrayée de la princesse la trahit. Elle n'avait donc jamais vu son mari.

Les horribles mégères, soupçonnant son désarroi, continuèrent leurs mensonges :

« Des bergers l'ont vu tournoyer autour de la falaise », affirma la première.

« Il est effrayant. Un seul coup d'œil sur cette créature te rendrait malade », renchérit la seconde.

« Lorsqu'il t'aura bien nourrie il t'avalera sûrement », gémirent-elles ensemble.

« Mais que dois-je faire ? » supplia Psyché, attendant avec anxiété la réponse de ses aînées.

« N'aie pas peur, nous allons te conseiller », dirent les sœurs en la consolant hypocritement. « Allume une lampe à huile et cache-la sous ton lit. Cache la flamme sous un vase de façon que le monstre ne la remarque pas. Dissimule aussi un couteau pointu. Lorsqu'il se sera endormi, soulève la lampe pour

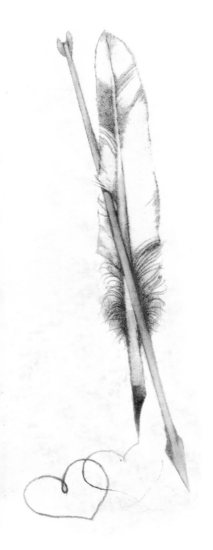

l'apercevoir et tranche-lui aussitôt la tête avec le poignard. De cette façon tu te libéreras de lui et ensuite nous nous occuperons de toi. Après tout, nous sommes tes plus proches parentes. »

La princesse leur exprima sa gratitude et Zéphyr les emporta.

Toute bouleversée par ces révélations, elle prépara le couteau et la lampe et attendit la nuit.

Après cette attente, qui lui parut interminable, le soleil finit enfin sa course et le palais fut à nouveau plongé dans l'obscurité.

L'époux de Psyché revint au logis, particulièrement fatigué, et sitôt couché il s'endormit.

Dès que sa respiration devint régulière, Psyché l'éclaira en tenant son arme de l'autre main. C'est alors que la lumière lui révéla l'identité de son mari... elle avait sous les yeux le fils de la déesse Aphrodite lui-même.

Ses ailes dorées scintillaient à la lueur de la flamme. Il était si beau que Psyché poussa un profond soupir. La main qui portait la lampe trembla et une goutte d'huile brûlante tomba sur l'épaule du jeune dieu. Éros fut immédiatement réveillé par la douleur et il vit sa femme penchée sur lui. Sans un mot il se leva du lit et s'envola dans la nuit.

C'est en vain que la pauvre épouse l'appela et l'implora. Un silence mortel s'était abattu sur le palais et personne ne lui répondit. La princesse sortit en courant, trébucha sur les racines et les pierres, se blessa les jambes et les bras sur les ronces. Elle chercha Éros désespérément, essayant de percevoir le bruit de ses ailes. Mais la nuit était muette.

Pendant ce temps le dieu blessé s'était réfugié chez sa mère et lui avait avoué son aventure.

« C'est bien fait pour toi », dit Aphrodite en colère, « cela t'apprendra à m'obéir. Puisque tu n'as pas su la punir, je la punirai moi-même. »

Éros resta chez la déesse : sa brûlure lui avait causé une forte fièvre. Quant à Psyché, elle continua à errer à la recherche de son mari, tourmentée par le remords et le désir de le revoir. Elle questionna les gens dans les villes, les bergers dans les pâturages et les pêcheurs sur les côtes.

Certains hochaient la tête avec sympathie, d'autres se moquaient d'elle et tous pensaient qu'elle était devenue folle car personne n'avait jamais vu Éros, bien que ses flèches aient touché à peu près tout le monde.

Après avoir marché longtemps, la malheureuse vint trouver sa sœur aînée et lui raconta son tragique destin.

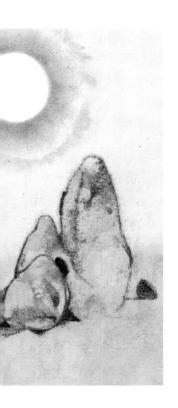

Celle-ci fit semblant de la plaindre, mais dès que l'infortunée princesse fut partie, elle courut vers la falaise, l'escalada et appela Zéphyr :

« Emmène-moi chez ton maître. Je veux être une meilleure épouse que Psyché. »

Et, disant ces mots, elle se jeta dans l'abîme. Mais le vent ne lui obéit pas et la jalouse créature fit une chute mortelle.

La pauvre Psyché fit aussi part de ses malheurs à sa seconde sœur. Elle prit une mine apitoyée, mais sitôt sa cadette disparue, elle se hâta vers le sommet de la falaise en s'écriant :

« Éros, viens prendre ta véritable femme, et toi, Zéphyr, emporte-moi ! » Aussitôt elle sauta dans le vide, et connut le même sort que son aînée.

Pendant ce temps, les serviteurs de la déesse offensée avaient retrouvé l'imprudente princesse.

« Te voici donc ! » s'écrièrent-ils. « Nous devons t'emmener chez notre maîtresse, Aphrodite. »

Psyché ne protesta pas, car elle pensait ainsi revoir son mari dans sa demeure céleste. Lorsqu'ils arrivèrent au palais, Aphrodite jeta à Psyché un regard mauvais et lui dit :

« Les hommes ne te rendent-ils plus hommage comme à une véritable divinité ? Où est le peuple qui te comblait de cadeaux et qui t'offrait des sacrifices ? Mon fils est

chez moi. Je l'ai soigneusement enfermé, aussi n'espère pas le revoir. Ta folle désobéissance l'a rendu malade. »

Et la déesse ordonna à ses servantes de mélanger du froment, de l'orge, du millet, du pavot, des pois, des lentilles et des haricots. Puis elle fit asseoir sa prisonnière devant l'énorme tas des graines mélangées et dit :

« Tu vas devoir abaisser ton orgueil devant cette tâche. Trie ce tas sans te tromper, je viendrai ce soir vérifier ton travail. S'il n'est pas achevé, tu seras cruellement punie. »

Aphrodite partit et Psyché n'essaya même pas d'exécuter l'ordre de la déesse. Qui au monde aurait pu accomplir une telle tâche ? Elle vit avec chagrin tomber l'ombre du soir et se rapprocher le châtiment promis.

Mais une industrieuse petite fourmi traversa la pièce et prit la princesse en pitié. Elle alla chercher des amies et elles se partagèrent le travail. Elles vinrent tellement nombreuses que l'amas de graines disparut sous elles. Elles trièrent patiemment les semences et lorsque le soir fut venu la tâche était terminée.

En revenant d'un banquet de l'Olympe, Aphrodite, la tête couronnée de roses, vint narguer Psyché.

Quelle ne fut pas sa surprise et sa colère lorsqu'elle vit les sept tas bien rangés :

« Ne crois surtout pas que tu as gagné », s'écria-t-elle. « Tu n'as sûrement pas fait cela toute seule. Quelqu'un a eu pitié de toi et est venu t'aider. Tant pis pour toi. »

Et elle lui lança un morceau de pain noir avant de l'enfermer à nouveau.

Le lendemain la déesse revint et, sans même regarder la jeune femme, elle ordonna :

« Vois-tu ce pré ? Des moutons y paissent et leur pelage scintille comme de l'or. Vas-y et rapporte-moi une touffe de leur laine. »

Psyché s'élança aussitôt, car la tâche qui lui était demandée lui semblait bien plus facile que la précédente. Comme elle courait le long de la rivière, les roseaux prirent pitié d'elle et lui chuchotèrent :

« Ne te dépêche pas, ma belle. Le matin, les bêtes sont farouches et elles te tueraient en te piétinant de leurs sabots. Tu ferais mieux d'attendre jusqu'à midi : les moutons font alors un petit somme et tu pourras facilement ramasser des brins de laine accrochés aux buissons. »

La princesse obéit à l'herbe et se cacha derrière un arbre. L'après-midi, profitant du sommeil du troupeau, elle ramassa la laine dorée et se hâta d'aller retrouver Aphrodite. À sa vue, les yeux de la déesse étincelèrent.

« Ne crois pas », lui dit-elle une fois encore, « que tu as gagné : tu as à nouveau reçu de l'aide. Nous verrons bien si tu arrives à accomplir le troisième travail. Voici une coupe de cristal. Rapporte-moi dedans de l'eau de la source noire. Elle jaillit de terre là-bas, près du sommet de cette montagne. »

Psyché se hâta d'aller accomplir le souhait de la déesse. Elle escalada les roches glissantes jusqu'au sommet de la montagne de sous laquelle jaillissait la source noire.

Le désir de revoir Éros lui faisait franchir les obstacles les plus dangereux, et cet espoir, si elle arrivait à satisfaire Aphrodite, lui donnait la force de marcher à côté des précipices.

Elle s'approcha tellement de la source qu'elle pouvait entendre le grondement de l'eau se précipitant dans l'abîme.

Là, elle se raidit de peur sans parvenir à faire le pas suivant. De monstrueux dragons soulevaient de terre leurs horribles gueules et regardaient Psyché de leurs yeux injectés de sang. C'est alors que de l'eau s'éleva une voix :

« Va-t'en de là ! » criait-elle. « Sois prudente, sinon tu es perdue ! Cours ! »

Psyché se mit à pleurer amèrement. Elle avait atteint son but et à présent elle n'osait pas remplir le vase !

Son chagrin et sa souffrance émurent un aigle. Il descendit des nuages et lui dit :

« Comment as-tu pu imaginer que tu arriverais à accomplir une tâche aussi difficile ? L'eau de cette source noire tombe directement dans le monde inférieur, dans le royaume des morts, et aucun mortel ne pourra jamais en récolter la moindre goutte. Mais donne-moi ton récipient, je vais t'aider ! »

La princesse tendit la coupe à l'oiseau qui la serra fermement dans son bec, plana bravement entre les monstres, récolta un peu d'eau et la rapporta à Psyché. Celle-ci remercia joyeusement l'aigle et courut rapporter son butin à Aphrodite. Sur le chemin elle prit bien garde de ne pas renverser la moindre goutte.

La déesse adressa à la jeune femme un sourire plein de fiel :

« Tu sembles vraiment être une enchanteresse bien puissante. Mais j'ai encore un travail à te demander. Prends cette petite boîte et va au royaume des ombres. Donne-la à Perséphone et demande-lui d'y mettre un peu de baume pour mon fils. Puisque tu l'as brûlé, tâche au moins de le soulager. De toute façon, ne reviens pas sans la pommade. »

C'est le cœur bien lourd que Psyché quitta le palais de la déesse.

« Seuls les morts peuvent rendre visite aux morts », pensait-elle. « Ceux qui descendent dans les profondeurs n'en remontent jamais. »

Pourtant la princesse désirait de tout son cœur rapporter l'onguent pour guérir la blessure de son mari.

« Il devait avoir mal », se disait-elle, « peut-être gémissait-il ? »

Le sang battait à ses tempes. Pleine de confusion, elle cherchait le chemin le plus court qui l'amènerait aux Enfers. Dans son agitation elle courut à une tour élevée.

« Je vais sauter et la mort m'emportera immédiatement dans le royaume des défunts », se dit-elle. Et, forte de cette décision, elle se mit à gravir les marches de l'escalier.

Mais même les froides pierres peuvent s'émouvoir, et devant la détresse de Psyché la tour s'éveilla et lui parla d'une voix humaine :

« Arrête-toi, pauvre petite. Pourquoi veux-tu te détruire ? Si tu meurs, tu ne pourras plus jamais revenir dans le monde. Marche toujours vers l'Ouest jusqu'à ce que tu atteignes une grotte cachée dans des rochers noirs. Entres-y et traverse le sombre couloir qui mène aux Enfers. Mais tu ne dois pas partir les mains vides : prends avec toi deux gâteaux au miel et mets deux petites pièces d'argent dans ta bouche. Sur ta route, ne parle à personne. Jette un gâteau à Cerbère, le chien à trois têtes, et il te laissera passer. Lorsque tu auras atteint les bords du Styx, laisse Charon lui-même prendre une pièce de monnaie dans ta bouche. Le cadavre d'un vieil homme flottera sur l'eau et te suppliera, les bras tendus, de le faire monter dans ta barque. Ne fais pas attention à lui. N'aide personne sur ton chemin, tu pourrais ainsi perdre ton gâteau et plus jamais tu ne reverrais la lumière du jour. Quand Perséphone aura rempli la boîte avec la pommade, ne l'ouvre pas. Rapporte-la fermée à Aphrodite. Au retour, offre une autre pièce au nocher et jette le deuxième gâteau au chien à trois têtes. Si tu suis très scrupuleusement tous mes conseils, ta mission sera couronnée de succès.»

Psyché remercia la tour et partit vers l'Ouest. De braves gens qu'elle rencontra lui donnèrent les deux gâteaux au miel et les deux petites pièces d'argent. Ainsi pourvue, elle arriva jusqu'à la grotte menant au monde inférieur. Suivant les directives de la tour, elle put revenir sur terre et son retour fut salué par le chant des oiseaux.

Le voyage se terminait bien. C'est alors que la curiosité, qui la tenaillait depuis longtemps, l'emporta.

«Si j'ouvre la boîte pour une seconde seulement, il ne m'arrivera rien», pensa-t-elle, et aussitôt elle souleva le couvercle.

Malheureusement, ce n'était pas de l'onguent qu'il y avait dans la boîte, mais le sommeil infernal de la Mort.

À peine avait-elle entrouvert le coffret que le sommeil s'échappait et la faisait tomber à terre, telle une défunte.

Pendant ce temps, la blessure d'Éros s'était guérie et le jeune dieu commençait à s'ennuyer sans sa femme. Il la chercha partout, et la découvrit enfin, gisant sur le sol. Porté par ses ailes d'or, il se posa doucement auprès d'elle, effaça soigneusement le sommeil de la mort et le remit dans la boîte.

Puis il l'éveilla en la frappant doucement d'une flèche à l'épaule, et s'envola vers le palais de sa mère, où il voulait arriver avant le retour de Psyché. Dès qu'elle eut retrouvé ses esprits, celle-ci courut aussi rejoindre Aphrodite.

Éros supplia sa mère de pardonner à la jeune femme, mais la déesse restait inébranlable. Ce ne fut que grâce à l'intervention de Zeus qu'Aphrodite consentit à oublier l'affront dont elle voulait se venger.

Alors Zeus envoya Hermès pour qu'il ramène Psyché sur l'Olympe, et il lui tendit lui-même une coupe de nectar divin pour la rendre immortelle.

Tous les dieux assistèrent au mariage et les Muses charmèrent tous les convives de leurs chants.

PHAÉTON

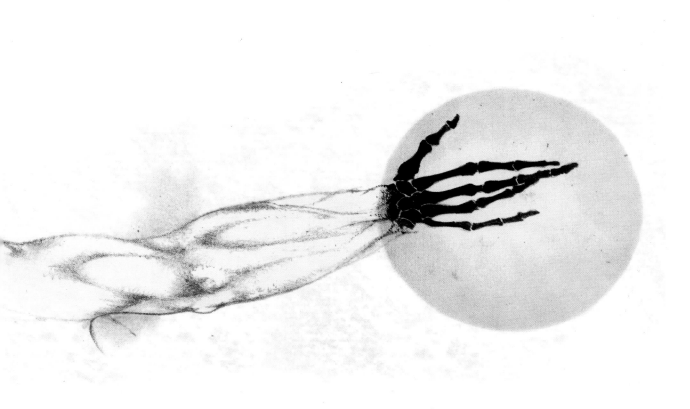

Un jour, le jeune Phaéton accourut en larmes vers sa mère.

« Personne ne veut croire que mon père est un dieu », sanglotait-il, « les garçons avec qui je joue se moquent de moi en disant que je me vante. »

Sa mère l'embrassa et le consola :

« Mon petit garçon, ton père est vraiment un dieu. Regarde le ciel. Ce soleil éblouissant et brûlant qui l'illumine, c'est ton père. Il te voit jouer et nager dans la rivière, il voit tout ce qui se passe sur la terre. Ton père est Hélios, le dieu Soleil. »

Phaéton regarda le ciel et eut envie de rejoindre son père.

« Je vais le voir », dit-il à sa mère, « j'ai envie de connaître mon père. »

Sa mère ne le lui interdit pas.

« Va », dit-elle en lui caressant les cheveux, « il sera sûrement heureux de te voir. Tu dois aller droit vers l'Est jusqu'à un grand rocher. Un sentier grimpe au flanc du rocher et, tout au bout de ce sentier, dominant le ravin, est bâti le palais de ton père, Hélios. »

L'impatient Phaéton se prépara bien vite à ce voyage. Il marcha inlassablement vers l'Est, et parvint au grand rocher. Le palais du dieu Soleil brillait au loin et les colonnes d'or qui le supportaient s'embrasaient dans le ciel. Les doubles barrières

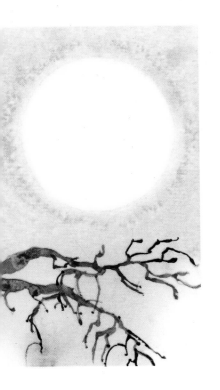

qui, forgées dans des rayons d'argent, se dressaient devant le palais étaient éclairées pour accueillir Phaéton bien que, en bas, sur la terre, la nuit soit tombée depuis longtemps déjà.

Phaéton entra, mais dut bientôt s'arrêter et fermer les yeux, tant la lumière était éblouissante.

Au milieu de la galerie était assis le dieu Hélios lui-même, sur un trône serti de pierres précieuses. Les Heures, les Jours, les Mois, les Années et les Siècles l'entouraient.

Lorsque les yeux de Phaéton se furent accoutumés à tant d'éclat, il distingua d'étranges silhouettes derrière le trône de son père. Il y avait le jeune Printemps avec une guirlande dans les cheveux, l'Été avec une couronne d'épis de blé, l'Automne à la robe maculée de jus de raisin et l'Hiver avec ses cheveux gris ébouriffés. C'est alors que la voix du dieu Hélios retentit dans le palais :

« Sois le bienvenu, mon fils Phaéton. Pourquoi as-tu fait tout ce chemin pour me voir ? »

Phaéton surmonta sa timidité et s'avança bravement en face de son père.

« Sur terre, les hommes se moquent de moi, ils disent que je mens et que je me vante et que mon père n'est pas un dieu. Peux-tu, s'il te plaît, montrer vraiment à tous que je suis ton fils ? »

Hélios rejeta les rayons étincelants qui entouraient sa tête et, attirant Phaéton, l'embrassa et lui dit :

« Tu es mon fils, Phaéton, et je veux te le prouver. Demande-moi n'importe quoi et je te l'accorderai. »

Phaéton sourit fièrement.

« Je sais que tu conduis chaque jour à travers le ciel, de l'Est à l'Ouest, un char d'or tiré par des chevaux extraordinaires. J'aimerais, juste une fois, le conduire moi-même. » Hélios s'effraya et regretta sa promesse. Il essaya de raisonner son fils :

« Demande-moi autre chose. Tu es jeune et ne peux tenir les rênes des coursiers sauvages. Le voyage du char est périlleux. Le matin, il s'élève tout droit vers le ciel et lorsqu'il est tout en haut, même moi je me sens étourdi par la hauteur du midi. Puis le sentier descend à pic vers la mer. Il faut une main très forte pour éviter que le char, le conducteur et les chevaux aillent se jeter la tête la première dans les profondeurs. »

Malgré tous ces arguments, Hélios ne put dissuader Phaéton, trop impatient de montrer à ses amis et à tout le monde qu'il était le fils du dieu. Hélios dut se résoudre à tenir sa promesse.

Avec un soupir, le dieu mit son bras autour des épaules de son fils et le conduisit vers le char

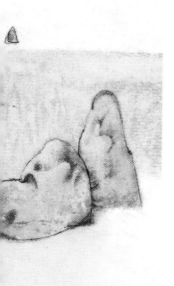

doré qui envoyait ses rayons dans toutes les directions.

Pendant que Phaéton s'émerveillait, l'Étoile du matin ouvrait les barrières pourpres de l'Est et montrait des salles pleines de roses. La Nuit s'envolait devant le ciel rougissant et le moment approchait d'atteler les coursiers impétueux.

Le dieu Soleil mit un onguent magique sur les joues de Phaéton pour le protéger de la chaleur et lui donna ce dernier conseil :

« Mon cher fils, puisque rien ne peut te dissuader d'entreprendre ce périlleux voyage, aie au moins la prudence de ne pas emmener le char trop haut, pour ne pas brûler les cieux, ou trop bas, pour ne pas consumer la terre. N'utilise pas le fouet : les chevaux galopent d'eux-mêmes. Tu trouveras facilement le chemin d'après les traces de mes roues : suis-les. »

Phaéton acquiesça, bien qu'il écoutât à peine les paroles de son père. Il sauta dans le char, prit les rênes et partit au galop. L'équipage étincelant s'éleva dans les airs à travers le brouillard. Au début, les chevaux suivirent le chemin habituel. Les cheveux de Phaéton voltigeaient autour de sa tête. Puis les coursiers s'aperçurent qu'ils étaient conduits par une main étrangère et malhabile et que le char était plus léger que d'habitude. Ils se secouèrent de façon à faire lâcher prise à leur jeune maître et quittèrent le sentier. Le char vacilla tandis qu'ils se précipitaient où bon leur semblait. Terrifié, Phaéton regarda la terre du haut des cieux. Loin au-dessous de lui, il vit les montagnes, les rivières et les villes qu'illuminait son char. Il trembla et fut saisi de vertige. Les rênes glissèrent de ses doigts et se mirent à flotter librement sur le dos des chevaux. Ceux-ci se cabrèrent et se précipitèrent vers les étoiles, puis ils traversèrent les nuages en direction de la terre. Lorsque le char fut près du sol, celui-ci devint aussitôt aride et des flammes s'élevèrent. L'argile se fissura, provoquant l'inquiétude du roi des profondeurs, surpris de voir la lumière voiler son royaume de ténèbres infinies. L'herbe, le blé, les arbres, tout était en feu et les villes n'étaient plus qu'un monceau de cendres. Les rivières sifflèrent et s'évaporèrent, les montagnes rougirent avant de s'écrouler, en cendres. Les poumons et la bouche irrités par l'air chaud, Phaéton comprit sa faute, tandis que sous lui le char rougeoyait. En Afrique, où l'attelage frôla la terre, la peau des nations entières noircit et d'immenses déserts se formaient. La mer elle-même se mit à bouillir et les poissons durent se réfugier dans les profondeurs. La terre torturée supplia Zeus d'arrêter ses souffrances et Zeus l'exauça en précipitant la foudre sur Phaéton. Les chevaux s'échappèrent de l'attelage et se jetèrent de côté, tandis que le char allait s'écraser dans la direction opposée. Quant à Phaéton, il fit une chute vertigineuse à travers l'espace brûlant et alla s'écraser à terre, sans vie.

Quelques nymphes des eaux trouvèrent son corps et l'enterrèrent. Accablé de chagrin, son père Hélios

se voila la face et, au milieu du jour, ce fut la nuit, éclairée uniquement par la lueur des feux qui embrasaient encore la terre.

La mère de Phaéton erra longtemps à la recherche de la tombe de son fils et, lorsqu'elle la trouva, elle pleura et embrassa l'argile sous laquelle il reposait. Ses sœurs aussi eurent beaucoup de peine : elles se lamentèrent et portèrent le deuil pendant des mois entiers. Puis, un jour, elles sentirent qu'elles

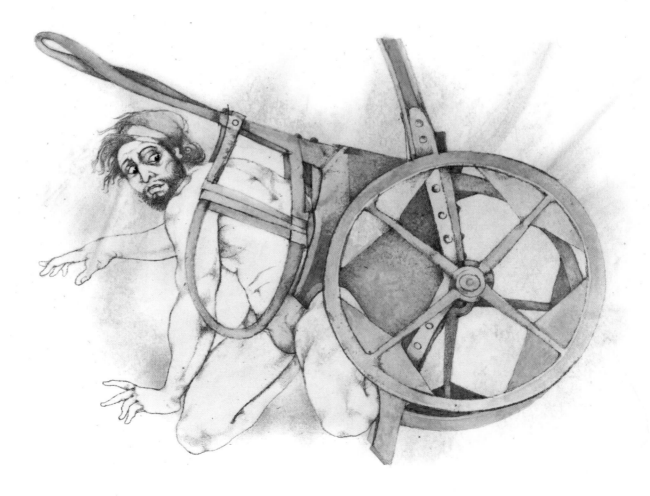

étaient enracinées dans le sol ;
elles tordirent leurs cheveux,
mais ce furent des feuilles qu'elles
froissèrent entre leurs doigts.

Leur mère, pour les sauver, attacha
les branches portant des bourgeons.
Des gouttes s'échappèrent des
blessures, le soleil les durcit et elles
devinrent de l'ambre. La douleur avait
changé en aunes les sœurs de Phaéton.

De nos jours encore, le soleil
pleure son fils ; le soir, après
son coucher, des larmes coulent
des étoiles, ces yeux argentés de
la nuit. Les hommes les nomment
la rosée.

MIDAS

Il y a bien longtemps régnait en Phrygie, pays de l'Asie Mineure, un grand adorateur du dieu Dionysos. Il était immensément riche et habitait un splendide palais. De plus, il se croyait très intelligent et capable de comprendre et de décider tout mieux que n'importe qui. Et, comme il était le roi, personne ne pouvait défier sa vanité.

Un jour, des paysans lui amenèrent un vieil homme qui pouvait à peine tenir sur ses jambes. Ils dirent qu'ils l'avaient trouvé dans les vignes royales en train de voler les grappes les plus grosses et les plus belles. Et en vérité, ce vieillard chauve, gonflé par l'alcool, avait le menton et les mains tachés par le jus des raisins mûrs. Même l'espèce de couronne verte qui oscillait sur sa tête laissait tomber des gouttes sombres.

Midas reconnut immédiatement Silène, vieux compagnon de Dionysos. Il avait élevé le dieu lorsqu'il était enfant et depuis ne l'avait pas quitté. C'est pourquoi le roi Midas accueillit le visiteur avec des transports de joie et ordonna un magnifique festin en son honneur.

Il commanda les mets les plus fins et de pleines outres du vin le meilleur. Il fit aussi venir des musiciens et des chanteurs.

Pendant dix jours et dix nuits Silène festoya avec le roi et ses invités. Tant que dura la fête, les coupes d'argent ne furent jamais laissées vides et, au lieu de vin mélangé d'eau, ils burent du vin pur qui rendit joyeux tous les convives. Sans arrêt, les serviteurs entretinrent les feux et les braises ne cessèrent de réchauffer les broches qui tournaient sans relâche. Les tables fléchirent et craquèrent sous le poids des plats chargés de nourriture, tout le palais bourdonna comme une ruche et, jour et nuit, les flûtes et les lyres accompagnèrent les chants joyeux qui traversaient les murs du palais.

Le onzième jour, le roi organisa une procession avec les joyeux convives. Il proposa un âne à Silène, sachant que c'était sa monture préférée. Les autres accompagnèrent l'invité d'honneur à cheval, en char ou à pied, et, tout en chantant avec entrain, ils gagnèrent le pays voisin où Dionysos se trouvait à cette époque.

Ils rencontrèrent le dieu dans un char d'or tiré par des tigres. Il était parti à la recherche de son tuteur.

Heureux de retrouver celui-ci paré de fleurs et de feuilles et suivi d'un aussi somptueux cortège, il dit au roi :

« En récompense du service que tu m'as rendu, j'exaucerai n'importe lequel de tes vœux. Quel don aimerais-tu recevoir ? »

Midas s'inclina devant Dionysos et tenta de se donner un air intelligent.

« Je voudrais que tout ce que je touche devienne de l'or », dit-il.

Le souhait du roi fit sourire le dieu :

« Tu aurais pu mieux choisir, mais qu'importe ! Ton désir s'accomplira. »

Tout joyeux, Midas prit le chemin du retour. Il se flattait de son intelligence : il n'y aurait jamais sur terre de roi plus riche que lui. Dans son impatience, il voulut éprouver sur la route le don divin.

Il cassa une brindille d'un arbre et put à peine en croire ses yeux : la tige et les feuilles jetaient une lueur jaune ; elles s'étaient changées en or pur. Il ramassa un caillou, qui entre ses mains devint un morceau de métal précieux. Il toucha une motte de terre, et elle aussi se transforma en or. Dans un champ qu'il longeait il arracha quelques épis de blé mûr et l'or résonna entre ses doigts. Une pomme du jardin royal subit le même sort.

Fou de joie, Midas se précipita dans son palais : à peine avait-il touché une porte que celle-ci se mit à briller. Il tira un rideau, celui-ci devint rigide : à la place, il y avait un mur doré.

Pour célébrer sa chance, le roi ordonna un grand festin. Il se rinça les mains et vit avec un sourire béat l'eau se transformer en or liquide. Mais à table, quand il voulut prendre un morceau de pain et qu'il le sentit se durcir et se transformer en lingot, quand la viande grillée se mit elle aussi à étinceler dès qu'il la saisit, il appela ses serviteurs et leur ordonna de le nourrir. Ils obéirent. Pourtant, malgré ses précautions, dès que les mets avaient atteint ses lèvres, l'or résonnait entre ses dents. Quant au vin, il se figeait lui aussi dans sa bouche.

Entouré de métal précieux, le roi fut saisi de terreur. Devinant la mort qui le guettait, son vœu lui fit horreur : il allait périr de faim et de soif...

Tremblant de peur, il fit rapidement harnacher son cheval. Au galop, il se rendit chez Dionysos, remarquant avec effroi que la bride entre ses mains devenait de l'or.

Des chants joyeux lui apprirent qu'il était arrivé au lieu de repos du dieu et de ses admirateurs.

Il sauta à terre et se prosterna :

« Cher Dionysos, pardonne mon souhait », gémit-il, « fais cesser ma souffrance. »

Le dieu fit grâce au malheureux en lui donnant ce conseil :

« Plonge-toi complètement dans l'eau de la rivière Pactole. Ainsi tu laveras les traces de ton vœu stupide. »

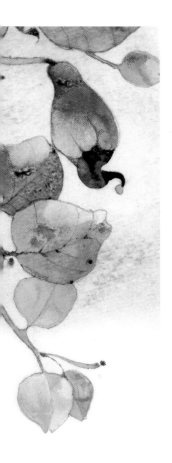

Sans attendre, Midas se baigna, rinçant aussi son visage et ses cheveux. Depuis ce jour, les hommes trouvent à cet endroit du sable doré.

Heureux d'être débarrassé de ce terrible don, le roi ne voulait même plus regarder l'or. Il préférait se promener dans les prairies et les bosquets et écouter Pan, dieu des pâturages et protecteur des troupeaux, qui jouait de la syrinx, flûte à sept tuyaux faite de roseaux. Le musicien avait des cornes et des pieds de chèvre, et était entièrement recouvert de poils. Il gambadait à travers les forêts en poursuivant les nymphes et les voyageurs effarouchés. À l'ombre des arbres, il ne jouait que des chansons gaies sur son curieux instrument et Midas les aimait mieux que n'importe quelle autre musique.

Voyant ses mélodies ainsi appréciées, Pan se mit à imaginer qu'il surpassait Apollon, dieu des Muses. Aussi appela-t-il le dieu de la montagne, Tmolos, pour qu'il désignât le meilleur joueur.

Tmolos accepta sa proposition et dégagea ses gigantesques oreilles des branches d'arbres vénérables qui les encombraient. Pan exécuta tout d'abord une chanson sauvage et barbare.

À l'orée de la forêt, le roi Midas fut charmé par cette mélodie, semblable au chant des oiseaux, au sifflement du vent dans les rochers, au bruit de l'eau gambadant sur les galets.

Le dieu s'arrêta et l'arbitre appela Apollon. Celui-ci, tenant dans la main gauche une magnifique lyre, rejeta son manteau pourpre. Il pinça délicatement les cordes de l'instrument, qui se mirent à chanter de façon exquise. Dans le calme du soir, les notes s'envolaient comme si elles étaient portées par de fragiles ailes d'argent.

Ému par la chanson d'Apollon, Tmolos invita Pan et sa syrinx à s'incliner devant la lyre.

Les chants divins avaient triomphé de la chansonnette.

Midas fut indigné par cette sentence, et comme il était très sûr de son jugement, il s'écria :

« Ce n'est pas possible. Pan chante cent fois mieux. Je préfère son talent et puisque je le préfère, c'est qu'il doit être le meilleur. Croyez-vous donc que je n'ai pas d'oreilles ? »

Vexé, Apollon s'approcha du roi et lui tira les oreilles. Celles-ci changèrent de forme, grandirent et se recouvrirent d'un crin blanc et soyeux.

« Tu as maintenant les oreilles que tu mérites ! » dit le dieu en colère tandis qu'il disparaissait.

Midas toucha ses oreilles : elles étaient devenues semblables à celles d'un âne.

Il se repentit, un peu tard, d'être intervenu dans un débat qu'il n'avait pas compris. Il s'enfuit en se secouant et, rentré au palais, il mit un large turban pour cacher son crâne.

Mais quelque temps plus tard, ses cheveux poussèrent tellement que sa coiffure ne pouvait les dissimuler. Alors il appela son barbier habituel et lui révéla sa malchance.

« Nous sommes maintenant deux à être au courant », lui dit-il. « Si tu apprends cela à quiconque, tu le paieras de ta vie. »

Le serviteur se mit à trembler de peur de trahir sa promesse. Mais le secret lui pesait, il était trop lourd.

Il pensa et pensa encore à la façon de se débarrasser de ce poids et, une nuit où le sommeil ne venait pas, il eut une idée.

Le lendemain matin, il franchit les portes de la ville et se dirigea vers une rivière près de laquelle il chercha un endroit isolé. Il creusa au bord de l'eau un petit trou et murmura :

« Le roi Midas a des oreilles d'âne. »

Il reboucha l'orifice avec de la terre, croyant avoir à jamais enterré son secret. Soulagé, il s'en revint à la ville et continua à tailler la chevelure royale.

En moins d'un an, un épais rideau de roseaux avait poussé à l'endroit où était enterré le secret, et, lorsque le vent soufflait, ces roseaux chantaient :

« Le roi Midas a des oreilles d'âne... »

C'est ainsi que tous apprirent le malheur du roi. Ils pensèrent avec plaisir que, pour une fois, les dieux avaient marqué la bêtise d'un signe évident. Et qu'il était dommage qu'Apollon ne fît pas un tel cadeau à tous les sots présomptueux !

TANTALE

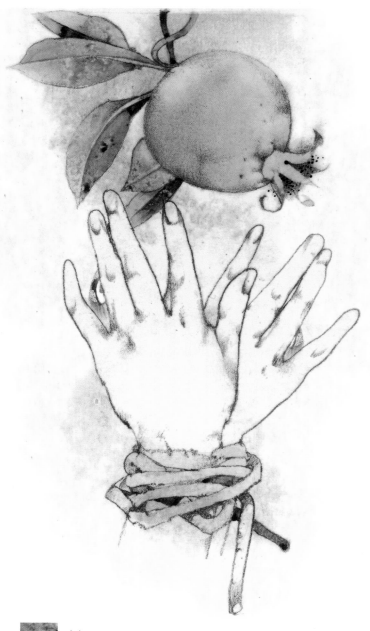

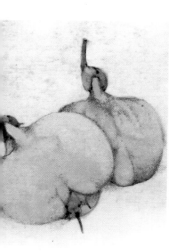

Il y a des siècles, le roi Tantale régnait sur la Lydie, pays qui fait partie aujourd'hui de la Turquie. Nul n'était plus riche que lui. La montagne du Sipyle lui donnait de l'or, ses champs s'étendaient à perte de vue et les épis de blé qui y poussaient étaient deux fois plus lourds que n'importe où ailleurs. Sur les flancs verdoyants des collines, les bouviers gardaient d'énormes troupeaux. Les dieux eux-mêmes couvraient Tantale de leurs faveurs. Ils lui permirent de participer à leurs festins à l'Olympe et d'écouter leurs discours.

Pourtant Tantale n'était qu'un mortel. Comme pour les autres humains, le fil de sa vie avait été filé par la Moire Clotho. Il était dévidé par la seconde Moire, Lachésis, et la troisième, Atropos, allait le couper. Mais Tantale ne pensait pas à la mort.

« J'assiste aux banquets des dieux, » se disait-il, « et il n'y a aucune différence entre eux et moi. Ils emplissent ma coupe avec le nectar divin, je partage avec eux l'ambroisie sacrée et je sais de quoi ils parlent. Personne ne peut penser que je ne suis pas un des leurs, moi aussi. »

« Mais tu ne sais pas tout », lui répondait sa conscience.

« C'est vrai », admettait le roi, « mais les dieux eux-mêmes sont-ils omniscients ? Je vais les mettre à l'épreuve. »

Un jour, un audacieux vola dans le temple de Zeus, en Crète, un précieux chien en or. Sachant que Tantale ne craignait pas les dieux, il le lui apporta pour qu'il le dissimulât. Peu après, un prêtre visiblement indigné se présenta aux portes du palais.

« Ô roi », lui dit-il, « l'usage ne veut pas que les gouvernants s'associent avec les voleurs. Rends au temple ce qui ne t'appartient pas. »

« Je ne sais pas de quoi tu parles », lui fut-il répondu.

« Tu peux cacher un objet volé », poursuivit le saint homme dont les yeux flamboyaient, « mais tu ne pourras te dérober à la colère divine. »

« Si j'ai fait quelque chose de mal », sourit le coupable, « l'Olympe, qui sait tout, l'aurait déjà appris et m'aurait puni. »

Le roi jura donc qu'il n'avait pas la statuette en or et le prêtre, désappointé, repartit.

Tantale était sûr que les dieux faisaient semblant d'être omniscients mais qu'ils ne l'étaient pas plus que les mortels.

En fait, chacun des actes de Tantale était connu au ciel, mais une chance était laissée au roi félon de choisir la vérité plutôt que le mensonge, l'honnêteté plutôt que le vol et la justice plutôt que le mal.

Aussi l'arrogance de Tantale ne fit que croître.

Le nectar et l'ambroisie ne lui suffirent plus ; il se mit à dérober à la table des dieux du breuvage divin et de la nourriture pour les rapporter sur terre. Ses forfaits étaient de constantes injures aux lois célestes et humaines.

Un jour, il imagina un crime terrible. Ayant assassiné son fils Pélops, il convia les dieux à un banquet où il leur offrit de se nourrir de la dépouille de son fils. La déesse des cultures, Déméter, perdue dans ses pensées, mangea un morceau de la viande présentée, mais les autres dieux, saisis d'horreur, se levèrent précipitamment de table.

Tantale s'effraya, il comprit alors la puissance des dieux et se prosterna devant eux en implorant leur pardon. Mais la mesure était comble. Zeus, divinité suprême, envoya sans hésitation le traître dans les ténèbres du monde inférieur, dans le Tartare. Pour le punir de toutes ses mauvaises actions, il fut condamné à la souffrance perpétuelle.

Depuis ce jour, au royaume des morts, Tantale doit se baigner dans une eau limpide et fraîche, tourmenté par une soif cruelle. Chaque fois qu'il se penche pour tremper ses lèvres

sèches et gercées, l'eau s'échappe de ses mains et il ne retient que le sable.

Des fruits savoureux poussent à sa portée, mais Tantale ne peut apaiser sa faim : dès qu'il touche une poire, une figue ou une pomme, le vent se lève soudain et l'objet de sa convoitise s'envole. Au-dessus de sa tête se tient en équilibre un énorme rocher qui menace de tomber à tout moment. Une angoisse mortelle étreint sans cesse sa gorge.

C'est ainsi que le roi félon subit parmi les ombres une triple torture.

Quant aux restes du fils de Tantale, Pélops, ils furent rassemblés par les dieux dans une marmite. Clotho retira du chaudron le jeune homme plus beau que jamais et lui rendit la vie. Seul manquait un petit morceau de son omoplate, mangé par la distraite Déméter.

Les dieux le remplacèrent par un morceau d'ivoire et depuis lors tous les descendants de Pélops ont une tache blanche sur l'épaule.

SISYPHE

Dans l'Antiquité, les hommes craignaient les dieux, ou tout du moins ils craignaient la mort. Seul Sisyphe, un roi rusé, n'avait peur ni des uns ni de l'autre. Il avait fondé la riche cité de Corinthe et bâti un superbe palais. La demeure royale était magnifique, mais il y manquait une source et Sisyphe se demandait comment en obtenir une de l'Olympe. La chance l'y aida.

Le Destin, qui gouverne les dieux aussi bien que les hommes, fut responsable d'une dispute entre Asôpos, divinité d'un fleuve, et Zeus. Comme ce dernier s'était caché, son adversaire ne put le retrouver.

Sisyphe, ayant entendu parler des mésaventures d'Asôpos, apprit par une ruse la cachette du roi des dieux et la lui livra.

« Je sais où se trouve le refuge de Zeus, et je serais heureux de te l'indiquer si en échange tu m'apportais ton concours. J'ai construit un palais, mais il n'y a pas d'eau et mes serviteurs doivent aller la chercher dans des puits éloignés. Aide-moi et je t'aiderai. »

Asôpos consentit au marché. Il alla au palais, toucha une pierre dans la cour et une source d'eau fraîche jaillit du rocher. Sisyphe tint sa promesse et dévoila le secret.

Le dieu du fleuve partit à la recherche de Zeus, oubliant le dangereux pouvoir du roi de l'Olympe, qui commandait à la foudre. Celui-ci surveillait avec colère la progression de la divinité insoumise, et quand Asôpos fut à sa portée, il ordonna à la foudre de le frapper.

À moitié brûlé, ce dernier se jeta dans un cours d'eau, qui depuis lors charrie des morceaux de charbon.

Lorsque Zeus eut détruit Asôpos, il se retourna contre Sisyphe.

« Va », dit-il à la Mort, « emporte Sisyphe au royaume des ombres, là il ne pourra plus trahir aucun secret. »

Et la Mort se mit en route.

Le roi se trouvait alors sur les murailles de son palais, admirant le paysage baigné de soleil. L'herbe était jaune dans la chaleur du midi et pas une feuille ne bougeait sur les arbres desséchés. Il n'y avait personne dehors, tous restaient à l'ombre dans leurs demeures.

Seul Sisyphe ne recherchait pas la fraîcheur : il avait le pressentiment que la punition de Zeus était imminente. Aussi ne fut-il pas surpris lorsqu'il vit la Mort grimpant le sentier qui montait au palais. Il se saisit de deux grosses cordes et s'approcha doucement de la porte.

La terrible visiteuse, qui n'avait aucun soupçon, pénétra dans l'entrée. Aussitôt le roi jeta une des cordes autour de ses épaules et l'immobilisa.

Il la ligota soigneusement avec l'autre et l'enferma à clé dans une pièce secrète. Cela fait, il poussa un profond soupir. Maintenant, la Mort ne pouvait plus lui faire du mal.

Non seulement Sisyphe fut ainsi épargné, mais personne à travers le monde ne mourut plus à partir du moment où la déesse du trépas fut ainsi enfermée. La maladie et les souffrances continuaient de faire leur œuvre, mais il n'y avait plus de terme aux infortunes qu'elles apportaient.

Les hommes les plus âgés vieillissaient indéfiniment. Même les oiseaux blessés par une flèche continuaient à voler et les bêtes sauvages emportaient jusque dans leurs tanières les lances plantées dans leurs dos. Le bétail était bon à abattre, mais la vie ne voulait pas le quitter.

Zeus fronça les sourcils et convoqua Arès, dieu de la guerre.

« Sisyphe a bouleversé tout l'ordre de la terre. Toi seul, habitué au combat, peux le rétablir. Va délivrer la Mort. »

Arès descendit donc sur la terre, força la porte derrière laquelle était enfermée la déesse et délivra son amie. Dès qu'elle fut détachée, la Mort saisit Sisyphe et l'entraîna dans les Enfers.

Puis elle recommença à visiter les demeures, à naviguer avec les marins, à accompagner les chasseurs dans les forêts et les guerriers dans les batailles.

Mais le roi retors avait prévu que la Mort le vaincrait tôt ou tard, et il avait pris depuis longtemps ses précautions afin de la tenir en échec.

Il avait en effet ordonné à sa femme de ne faire aucun sacrifice lors de son décès.

Arrivé au royaume des ombres, il se mit à se plaindre :

« Mon épouse m'a oublié », disait-il, « elle n'a pas accompli les rites sacrés. »

Tout le monde des défunts se mit à le plaindre et la reine Perséphone, souveraine de ce pays de larmes, lui permit de retourner sur terre pour rappeler sa femme à ses devoirs.

Sisyphe remonta donc sur terre et aussitôt toute trace de chagrin disparut de son visage. Tout réjoui, il se hâta vers son palais et pour célébrer son retour il organisa un joyeux banquet.

Il n'avait, bien sûr, pas l'intention de rejoindre les ombres, et avait même cessé d'y penser, en félicitant son épouse d'avoir obéi à ses ordres.

Les gigots embaumaient déjà le palais et les coupes s'emplissaient de vin doux. Le bruit des conversations retentissait dans toutes les pièces tandis qu'un musicien aveugle, assis près du feu avec sa lyre, ravissait les convives de ses chants.

Le roi allait boire, mais ses lèvres ne touchèrent jamais le nectar car déjà la Mort, qui était derrière lui, lui arrachait la coupe des mains et l'entraînait une seconde fois à sa suite.

Les dieux punissaient sévèrement ceux qui se moquaient d'eux et ne respectaient pas la loi divine. Et, bien sûr, Sisyphe avait mérité un châtiment en proportion avec ses forfaits.

Depuis qu'il est retourné au royaume des ténèbres, il doit faire rouler un énorme rocher jusqu'au haut d'une colline, et, lorsque celui-ci atteint le sommet, la pierre lui échappe des mains et dévale la pente opposée.

C'est ainsi que depuis des siècles Sisyphe s'acharne sur ce vain travail et sa souffrance n'aura pas de fin.

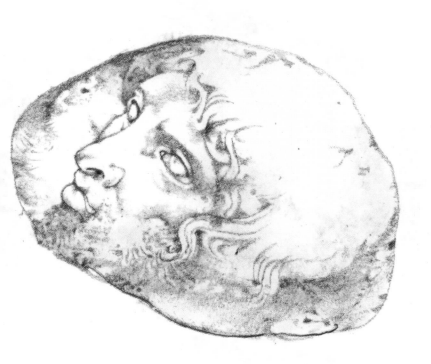

PROMÉTHÉE

Le ciel se mirait dans les eaux et les eaux étaient remplies de poissons. De grands vols d'oiseaux passaient dans le ciel et des troupeaux paissaient dans les prairies. Mais personne ne s'occupait des troupeaux, personne n'attrapait les poissons et personne n'écoutait le chant des oiseaux. Sur terre, il n'y avait pas d'homme.

Prométhée, descendant de la famille sacrée des Titans, errait tristement sur terre et cherchait en vain des êtres vivants marchant debout comme lui et dont le visage aurait été semblable au sien. Mais il voyait l'argile d'où surgissaient l'herbe, les plantes et les arbres ; il voyait aussi les fortes pluies tombant sur la terre. L'eau de pluie gardait la nature en vie, et là où elle ne tombait pas les arbres et les buissons mouraient, laissant place au désert.

Lorsque Prométhée découvrit la force de la terre et de l'eau, il mélangea de l'argile et de l'eau de pluie, moulant la forme du premier homme. Cette forme ressemblait à celle des dieux. Pallas Athéna, déesse de la sagesse et de l'esprit, insuffla une âme à la forme sans vie : la grise argile devint rose, un cœur se mit

à battre en elle et les bras et les jambes, encore immobiles, se mirent à bouger. C'est ainsi que Prométhée envoya sur terre le premier homme.

Longtemps, les hommes ne surent que faire de leur âme, don de Pallas Athéna. Ils vivaient comme de petits enfants. Ils voyaient mais ne reconnaissaient pas, ils entendaient mais ne comprenaient pas, ils marchaient sur terre comme dans un rêve. Ils ne savaient ni cuire des briques, ni couper du bois, ni construire des maisons. Semblables à des fourmis, ils grouillaient sur la terre et sous la terre, dans les recoins sombres des grottes. Ils ne savaient même pas que l'été succédait au printemps et que l'automne suivait l'été.

Prométhée descendit alors parmi les hommes et leur apprit à élever des maisons, à lire, à écrire, à compter et à comprendre la nature. Il leur montra comment atteler des animaux à des charrettes pour ne pas avoir à porter sur leur dos de lourds fardeaux. Il leur enseigna l'art de construire des bateaux, leur expliquant comment les voiles aidaient le rameur dans sa tâche. Il les conduisit dans les profondeurs de la terre, à la recherche des trésors cachés. Le dur travail des mineurs arracha aux entrailles du sol le fer, le cuivre, l'argent et l'or.

Avant cette époque, les hommes ne connaissaient pas la médecine, ils ne pouvaient discerner ce qui leur faisait du bien de ce qui leur faisait du mal ; aussi Prométhée leur montra comment préparer des onguents et des médicaments. Il enseigna tous les arts aux hommes stupéfaits et ils les apprirent tous avec avidité.

Les dieux, assemblés sur le mont sacré de l'Olympe, jetaient des regards soupçonneux sur cette génération d'hommes sur la terre qui, grâce à Prométhée, avaient appris le travail, les sciences et les arts. Zeus, dieu souverain, fronçait les sourcils chaque jour davantage. Il appela Prométhée et lui dit :

« Tu as appris aux hommes à travailler et à penser, mais tu ne leur as pas assez appris à vénérer les dieux, ni à leur offrir des sacrifices, ni à les adorer. Tu dois savoir que c'est des dieux que dépendent la fertilité du sol, la prospérité ou le malheur des hommes. Les dieux décident de leur destin. Moi-même, j'envoie ma foudre quand je le veux. Retourne chez les hommes, et dis-leur de nous offrir des sacrifices, sinon notre courroux s'abattra sur eux. »

« Les hommes vont offrir des sacrifices aux dieux », répondit alors Prométhée, « mais il faut que tu viennes toi-même, ô Zeus, choisir ce qu'ils doivent sacrifier. »

Prométhée tua un taureau, cacha la chair dans le cuir du taureau et disposa les entrailles par-dessus. Il fit un autre tas avec les os, mais les recouvrit avec la graisse de telle sorte qu'ils étaient invisibles. Le tas d'os recouvert de graisse était plus gros et plus appétissant. Dès que tout fut prêt, Zeus sentit l'odeur délicieuse du sacrifice préparé et descendit sur terre.

Prométhée vit Zeus et s'exclama :
« Ô grand Zeus, choisis la part que tu préfères. Celle que toi, roi des dieux, auras choisie sera celle que les mortels continueront à te sacrifier. »

Zeus comprit bien que Prométhée cherchait à le tromper. Pourtant il ne montra pas sa colère, mais choisit délibérément le tas luisant de graisse. Alors, tout souriant, Prométhée s'approcha, écarta la graisse : les os dénudés apparurent. Par contre, lorsqu'il ôta le cuir du taureau de l'autre tas, la chair fraîche apparut, dégageant son agréable odeur. Depuis ce jour, les hommes sacrifièrent aux dieux la graisse et les os et gardèrent la chair pour eux.

Mais Zeus ne laissa pas impuni cet acte effronté : il décida de priver les hommes du feu, et, si la meilleure

part – la chair – leur était réservée, ils devaient dorénavant la manger crue.

Zeus ordonna immédiatement aux nuages d'éteindre tous les feux avec leur pluie. Quant au vent sauvage, il devait disperser la cendre chaude et l'éparpiller dans la mer. Ainsi les hommes perdirent le feu, indispensable au travail et à la vie : ils ne pouvaient même plus cuire leur pain. Les forges furent abandonnées et les ateliers se vidèrent. Lorsque les journées étaient froides et qu'il gelait la nuit, les hommes ne trouvaient nulle part à se réchauffer.

Prométhée vit quel désastre s'était abattu sur eux ; il les prit en pitié et ne les abandonna pas. Sachant que dans le palais de Zeus brillait jour et nuit un feu étincelant, il rampa la nuit jusqu'en haut de l'Olympe vers le palais sacré du dieu suprême. Sans être vu, tout doucement, il prit un peu de feu qui brillait dans la cheminée de Zeus et le cacha dans un bâton creux. Puis, tout joyeux, il s'en retourna chez les hommes avec son précieux larcin.

Les flammes s'élevèrent à nouveau dans les maisons et les ateliers, et l'odeur de plats cuits et de viandes grillées monta dans les cieux, jusqu'aux narines des dieux. Zeus abaissa ses regards vers la terre et vit la fumée s'élevant des cheminées. Il fut pris de la terrible colère des dieux et immédiatement imagina un nouveau châtiment. Il fit venir Héphaïstos le dieu boiteux, artiste renommé qui vivait au pied d'un volcan fumant où il avait ses ateliers, et lui commanda la statue d'une femme très belle.

Héphaïstos obéit, et bientôt Zeus put contempler une beauté comme personne n'avait jamais pu rêver d'en voir une. La déesse Athéna donna à la jeune fille un voile superbe, un vêtement éblouissant de blancheur et une magnifique ceinture. La déesse de la beauté, Aphrodite, lui donna une grâce aérienne, et quant à Hermès, le messager des dieux, il lui offrit une parole éclatante et vive et une voix splendide. Puis ils mirent une couronne sur sa tête. Zeus lui donna pour nom Pandore – ce qui veut dire « ornée de tous les dons » – et lui confia une boîte en or. Enfin, Hermès emmena Pandore sur terre, chez le frère de Prométhée, Épiméthée.

Prométhée avait souvent prévenu son frère qu'il ne fallait accepter aucun présent des dieux, mais devant la beauté de Pandore, Épiméthée oublia toutes les recommandations et l'accueillit dans sa maison, elle et sa boîte en or. Curieux de voir ce que les dieux lui avaient envoyé dans cette boîte, il demanda à Pandore d'en soulever le couvercle, ce qu'elle fit volontiers. La Maladie, la Souffrance, la Misère et la Détresse s'échappèrent alors de la boîte en sifflant, grognant et geignant. Elles s'élevèrent au-dessus de la maison et se répandirent partout dans le monde qui jusque-là avait ignoré le mal.

Pandore elle-même s'effraya et referma vite le couvercle. Tout ce qu'il y avait de mauvais s'était échappé de la boîte, et seul l'Espoir était resté dedans : la Maladie et la Détresse l'avaient étouffé tout au fond du coffret de façon que seule une toute petite partie puisse s'en échapper dans le monde.

La Pauvreté et le Mal envahirent les maisons, et la Mort vint sur leurs talons. La Souffrance et l'Inquiétude réveillèrent les hommes pendant leur sommeil et les mauvais rêves les étouffèrent. Seul l'Espoir n'était pas répandu, car il était resté presque entier enfermé dans la boîte de Pandore.

La colère de Zeus frappa aussi Prométhée. Le roi des dieux envoya Héphaïstos et ses aides pour attacher le rebelle avec les chaînes les plus lourdes et les plus solides à un rocher élevé des montagnes du Caucase.

devait arracher le foie de Prométhée et le manger. Pendant la nuit le foie repoussait et le lendemain l'aigle renouvelait son supplice. C'est ainsi que Prométhée fut condamné à souffrir pour toujours. Beaucoup d'années passèrent, mais il ne fléchit pas.

Après des siècles, pendant lesquels Prométhée subit la torture et la solitude, Héraclès, fils de Zeus, remarqua le héros enchaîné sur le Caucase. Il passait devant lui en allant cueillir les pommes d'or du jardin des Hespérides tandis que l'aigle arrivait pour prendre sa nourriture.

Héraclès posa sa massue, banda son arc, visa, et d'un seul trait tua le monstrueux oiseau de proie. Puis il rompit les chaînes et rendit au captif sa liberté. Pour amadouer Zeus et accomplir sa peine, Prométhée dut porter un anneau de fer renfermant une pierre du Caucase. Il resta ainsi « enchaîné pour toujours », selon les vœux du dieu suprême.

Depuis ce temps, les hommes portent des anneaux ornés de pierres en mémoire de l'épreuve de Prométhée. Ils les portent encore aujourd'hui, bien qu'ils aient depuis longtemps oublié Prométhée, qui ne voulut pas se soumettre aux dieux et prit fidèlement parti pour les hommes.

Contraint d'obéir, Héphaïstos attacha si bien Prométhée au rocher qu'il ne pouvait plus bouger.

Prométhée était suspendu entre ciel et terre juste au-dessus des abîmes où flottaient les brouillards, mais il ne s'humilia pas et n'implora pas la pitié de Zeus.

Lorsque ce dernier comprit que Prométhée ne lui demanderait pas pardon et supporterait fièrement son destin, il envoya au Caucase un aigle gigantesque. Chaque jour, l'aigle

LE DÉLUGE

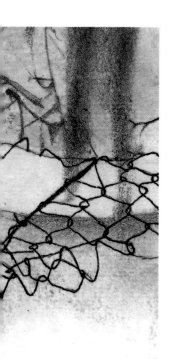

Il vint un jour aux oreilles de Zeus que les hommes étaient devenus tout à fait corrompus et commettaient beaucoup de crimes. Aussi pensa-t-il qu'il devait descendre sur la terre : il voulait voir de ses propres yeux si réellement les hommes volaient, tuaient, se moquaient des dieux et disaient des mensonges au lieu de la vérité.

Il vit avec peine et irritation que les hommes étaient encore pires que dans les récits qu'on lui avait faits. Un individu volait un autre en lui mentant, les hôtes attaquaient et massacraient leurs invités endormis, les enfants impatients d'hériter attendaient la mort de leurs parents, les femmes donnaient du poison à leurs maris et les frères s'entre-tuaient.

Zeus se sentit soulagé lorsqu'il atteignit des régions rocailleuses où il n'y avait aucun signe de vie : pas d'hommes, pas de villes ni de villages.

Une nuit, il parvint au palais d'un roi arcadien nommé Lycaon. Le peuple, s'étant rendu compte de la présence d'un dieu, se mit à prier. Mais le roi Lycaon se moqua de son peuple : « Nous verrons bien », pensa-t-il, « si ce passant est un dieu : je vais l'éprouver. » Et, comme il avait au palais des otages de la race des Molosses, il en tua un et le fit cuire.

Il allait offrir un festin au voyageur, et lorsque celui-ci se serait gavé de chair humaine et aurait sombré dans le sommeil, il le tuerait aussi.

Les serviteurs déposèrent des plats fumants devant Zeus qui, comprenant l'atrocité du festin qu'on avait préparé pour lui, se mit dans une violente colère. Il envoya sa foudre sur le palais de Lycaon et un vacarme assourdissant se répandit dans tout le royaume. Des flammes s'élevèrent de toutes parts et brûlèrent avec avidité tout ce que le roi possédait. Saisi d'une terreur mortelle, Lycaon lui-même s'échappa du palais et s'enfuit loin de la colère de Zeus. Il ouvrait la bouche, mais l'horreur l'avait rendu muet et quand enfin il retrouva la voix, il ne put que hurler. Il tomba à genoux et sentit ses membres et son corps se couvrir de poils et sa tête s'allonger. Il était transformé en loup, toujours assoiffé de sang. Depuis ce jour, il décima les troupeaux paissant dans les prairies ; ses yeux étincelaient avec autant de férocité que lorsqu'il était encore un homme.

Zeus retourna dans les cieux et convoqua les dieux à un conseil. Tous se pressèrent de rejoindre, par la Voie Lactée, le palais de marbre où Zeus trônait, préoccupé et furieux. Dès qu'ils furent rassemblés, la voix du dieu suprême tonna,

décrivant les horreurs de la terre.

« J'ai déjà foudroyé un palais »,
dit-il, « mais tous les mortels,
sans exception, doivent être punis.
Je voudrais brûler toute la terre par
la foudre, mais je crains qu'un tel
incendie atteigne les cieux. Nous
connaissons tous la prophétie selon
laquelle le monde entier périra par
les flammes. C'est pourquoi j'ai choisi
le déluge pour laver la surface de la
terre des démons et de l'indigne race
humaine qui l'habitent. »

Alors Zeus enferma dans une
caverne le vent du Nord ainsi que les
rafales qui dispersent les nuages et
libéra le vent du Sud. Celui-ci déploya
ses ailes ruisselantes et s'élança,
un épais brouillard au front, sa barbe

grise dégoulinante de pluie. De sa
main droite il pressait et tordait des
nuages noirs, exprimant des torrents
d'eau. Poséidon, dieu des flots, aidait
son frère Zeus dans sa tâche : il
appela les dieux de toutes les rivières
et de tous les fleuves et leur ordonna
de laisser les cours d'eau sortir de
leurs lits, briser les digues et inonder
les habitations. Les eaux envahirent
les villages et les villes, recouvrant
les champs, les buissons et les arbres.
Bientôt, le niveau atteignit les toits et
même le sommet des tours. Les gens
essayaient de se sauver en nageant
mais la pluie les assommait.
Quelques-uns parvinrent à gagner le
sommet des montagnes, mais bientôt
l'eau les submergea, entraînant leurs

corps dans les profondeurs infinies de la mer nouvelle. Ceux qui montèrent dans des barques et des bateaux pour essayer de sauver leur vie firent naufrage sur les anciennes montagnes transformées en récifs. Des poissons étranges nageaient dans les profondeurs – au sommet des arbres –, passaient çà et là à travers les maisons et les temples dont les fenêtres et les portes avaient été arrachées par la tempête. Les cerfs, les loups et les sangliers luttaient en vain contre les vagues et les forêts étaient peuplées de dauphins. La terre devint une mer immense. Même les oiseaux, épuisés par leur vol, finissaient par tomber dans l'eau faute de pouvoir se percher. Celui qui ne fut pas englouti par les vagues mourut de faim.

Dans le pays de Phocide, le mont Parnasse s'élevait encore au-dessus de l'eau. Un petit bateau, dans lequel s'étaient réfugiés Deucalion, fils de Prométhée, et Pyrrha, sa femme, s'avançait dans sa direction. Prométhée les avait prévenus à temps et leur avait donné une robuste embarcation.

Lorsque Zeus vit que les seuls rescapés étaient Deucalion et Pyrrha, tous deux honnêtes, justes et pieux, il dispersa les nuages, montrant les cieux à la terre et la terre au ciel. De même, Poséidon posa son trident

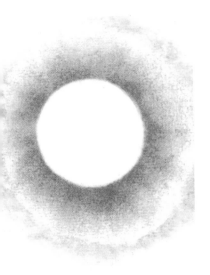

qui avait soulevé la mer, appela son fils Triton et lui demanda de souffler dans sa conque. Triton sut souffler avec une telle force que le bruit emplit toute l'atmosphère. Il souffla et les eaux se mirent à refluer, les rivières retournèrent dans leurs lits et la mer revint à ses anciens rivages.

Deucalion et Pyrrha arrivèrent au mont Parnasse, se mirent à genoux et remercièrent les dieux de les avoir laissés en vie. Puis ils regardèrent autour d'eux et ne virent qu'un désert. Les forêts retenaient encore dans les branches des arbres quelques parcelles de terre ; tout était silencieux et privé de vie. Deucalion soupira doucement :

« Chère Pyrrha », dit-il, « nous sommes les seuls survivants ; qu'allons-nous faire ? Si seulement je pouvais comme mon père créer un homme avec l'argile ! » Les yeux pleins de larmes, Deucalion et Pyrrha se mirent à prier sur les marches pleines de mousse du temple de Zeus. Ils l'implorèrent de les aider à rendre la vie à la terre et le maître des dieux, ému, leur donna ce conseil :

« Quittez ce temple, voilez vos têtes et jetez derrière vous les ossements de votre grand-mère. »

Perdus dans leurs pensées, ils quittèrent le temple sans parvenir à comprendre pourquoi ils devaient ainsi troubler la paix de leurs ancêtres. Ils réfléchirent longtemps quand soudain Deucalion comprit que la grand-mère dont parlait le dieu était la Terre.

« La Terre est notre grand-mère à tous », dit Deucalion, « et ses ossements ne peuvent être que les pierres. »

Il doutait que des cailloux puissent faire revenir la vie sur terre. Pourtant, aidé de Pyrrha, il en ramassa et les jeta par-dessus son épaule. C'est alors que le miracle se produisit : à peine touchaient-elles la terre que les pierres perdaient leur dureté et qu'elles se transformaient en corps humains. La partie la plus dure devenait les os, quant aux veines de la pierre, elles sont à l'origine des veines du corps humain. Les pierres que Deucalion jetait se transformaient en hommes, celles que jetait Pyrrha se transformaient en femmes.

C'est ainsi que vint au monde une nouvelle race d'hommes, résistants au travail et à la souffrance, race issue de la pierre et dure comme elle.

PERSÉE

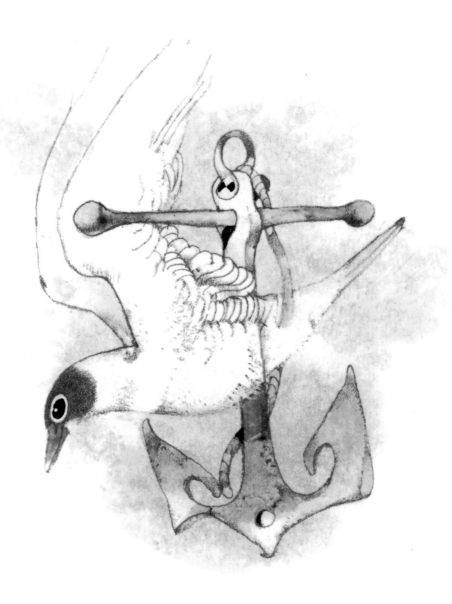

Un jour, un oracle prédit au roi Acrisios qu'il serait tué par son propre petit-fils. Craignant pour sa vie, le roi essaya d'imaginer le moyen d'éviter ce tragique destin. Il rassembla tous ses esclaves, leur ordonna de creuser une cave sous le palais et de la clore par une porte de fer.

Puis il y emmena sa fille Danaé et l'y enferma soigneusement. Il lui fit porter de la nourriture mais ne la laissa pas sortir, de crainte que ne s'accomplisse la terrible prédiction.

Les gémissements et les cris de la prisonnière parvinrent aux oreilles du roi des dieux, Zeus, qui prit pitié de la jeune fille solitaire et descendit dans la cave sous forme d'une pluie d'or. Il illumina l'obscurité et tomba amoureux de la belle qui, peu de temps après, mit au monde un garçon auquel on donna le nom de Persée.

Un soir, le roi se promenait dans son parc. Soudain, il entendit les pleurs d'un enfant. Il crut d'abord que c'était le vent dans les arbres, mais les cris provenaient de la terre.

Effrayé et surpris, Acrisios courut vers la porte de fer de la cave et l'ouvrit. Danaé se jeta à son cou, le suppliant d'épargner la vie de son fils et la sienne. Mais le roi avait bien trop peur de la mort et il ignorait la compassion. Aussi la repoussa-t-il et rentra-t-il en hâte au palais.

Il donna l'ordre à ses gardes de mettre sa fille et son petit-fils dans une grande caisse, de la clouer et de la jeter à la mer.

Avant la tombée de la nuit, les vagues jouaient déjà avec la caisse où la malheureuse étreignait son enfant. À travers une fente, elle aperçut la mer démontée et l'écume qui ornait la crête des vagues.

Puis ce fut l'obscurité. La caisse était toujours ballottée sur les eaux sans fin, à la merci des tourbillons et du vent qui la poussaient vers une côte inconnue. Le lendemain, une île apparut à l'horizon. La caisse fut rejetée sur sa côte.

Des pêcheurs préparaient leurs filets sur la plage lorsqu'ils virent cet étrange objet qui flottait. Ils montèrent dans leurs bateaux et ramèrent à sa rencontre pour le haler sur le sable.

Curieux de savoir quel trésor était caché dedans, ils se dépêchèrent d'ouvrir le couvercle. Quelle ne fut pas leur surprise au spectacle qui s'offrit à leurs yeux : de la caisse sortit une charmante jeune femme portant dans ses bras un petit garçon endormi. Tremblante et pâle, Danaé remercia ses sauveteurs et leur raconta son aventure.

Ayant exprimé leur étonnement, les sympathiques pêcheurs offrirent de la nourriture aux rescapés, et

lorsque ceux-ci eurent repris un peu de forces, leur doyen les emmena jusqu'à la cité voisine, chez le roi de l'île.

Le souverain offrit l'hospitalité à la princesse étrangère et à son fils. Depuis ce jour, ils vécurent au palais et ne manquèrent de rien.

Après quelque temps, le roi épousa la princesse et s'offrit à élever Persée comme son propre fils.

Les vagues se succédaient dans la mer et les années se succédaient au royaume insulaire. Il y avait longtemps que le garçon avait cessé de jouer sur la prairie. Maintenant il luttait avec les autres jeunes gens dans les stades ; il montait à cheval et savait manier la lance.

Le roi, craignant pour son trône, surveillait avec ennui ce déploiement de force.

« Il serait bon », pensa-t-il, « que Persée aille de par le monde. » Aussi se mit-il à lui raconter des histoires de dragons, de géants et d'exploits héroïques. Persée l'écouta avidement.

« Il y a eu de fameux héros », raconta un jour le souverain, « mais aucun n'a eu le courage de ramener la tête de Méduse. »

« Et qui est cette Méduse ? » demanda le jeune homme.

« Bien loin à l'Ouest », répondit son beau-père, « là où commence la nuit éternelle, vivent trois sœurs : les Gorgones. Elles sont monstrueuses : elles ont des ailes et à la place de la chevelure elles portent des serpents. Deux d'entre elles sont immortelles, la troisième est mortelle, on l'appelle Méduse. Quiconque regarde la figure hideuse et immobile de l'une des sœurs se transforme immédiatement en pierre. Si je possédais la tête de Méduse, je pourrais la montrer à mes ennemis qui se changeraient en roches et je gagnerais ainsi toutes les batailles. »

Après cette conversation, Persée ne fit que penser aux monstres. Il avait envie d'accomplir l'exploit devant lequel tous avaient reculé. Le long voyage ne l'effrayait pas, et, si Méduse était mortelle, il croyait pouvoir la tuer de son bras fort armé d'un glaive acéré.

Au lieu de craindre le danger, il songeait d'avance à sa victoire.

Quelques jours plus tard, ayant bien réfléchi, il annonça à sa mère :

« Je vais explorer le monde et rapporter la tête d'une des Gorgones. »

Danaé fondit en larmes à l'idée que son fils risquait de ne pas revenir. Mais le roi approuva la décision de Persée, en louant sa force et son courage. Au fond de son cœur, ce départ le soulageait.

Le jeune homme ne traîna pas. Impatient de tenter l'aventure, il se prépara promptement et se mit en route. Le soleil couchant lui indiquait la direction à prendre. Il traversa la mer et la terre, se frayant un chemin à travers d'immenses forêts pleines de bêtes et d'oiseaux sauvages. Il escalada des chaînes de montagnes et passa à gué des rivières.

Pendant très, très longtemps, il marcha ainsi vers l'Ouest sans se lasser.

La déesse Pallas Athéna le suivait. Elle avait toujours protégé les voyageurs intrépides et le courage de Persée lui plaisait.

Un jour, elle lui apparut et dit :

« Tu es brave, mais la bravoure à elle seule ne te suffira pas. Tu dois apprendre ce qu'il faut faire pour rentrer chez toi sain et sauf. Je vais te donner des conseils. Il ne faut pas que tu jettes un seul regard sur les Gorgones, cependant il serait dur de combattre Méduse sans la voir. Aussi, je vais te donner un bouclier de métal. Il est poli comme un miroir et tu pourras la surveiller ainsi : ce reflet ne te fera aucun mal. Prends aussi cette courte épée pour lui couper la tête. Mais avant tout tu dois obtenir des nymphes des sandales ailées, le sac magique ainsi que le casque qui te rendra invisible. Viens ici, je vais te montrer le chemin qui va chez trois vieilles femmes. Ce sont les sœurs des Gorgones et elles savent où vivent les nymphes. »

Persée remercia la déesse, prit le bouclier et l'épée et s'engagea sur le chemin qu'elle lui avait indiqué.

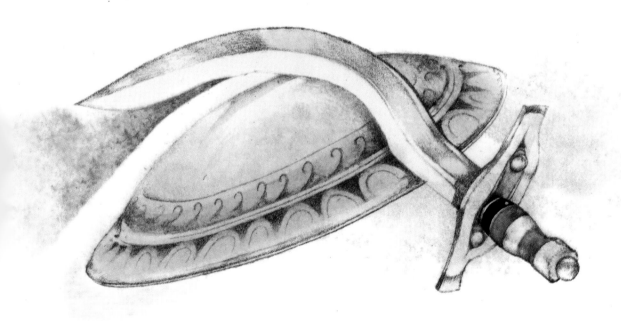

Ayant atteint une plaine caillouteuse et déserte, il aperçut soudain une cabane sordide. C'était la hutte des vieilles sœurs des Gorgones. Avant d'arriver à la porte le jeune homme les entendait déjà se quereller.

À elles trois, elles ne possédaient qu'une dent et un œil, et elles ne parvenaient jamais à décider qui y avait droit. Dès que l'une avait emprunté l'œil et se mettait à regarder autour d'elle, la seconde se jetait sur elle pour voir aussi. À peine celle-ci s'était-elle emparée de l'œil que la troisième le lui arrachait. Et la dent était l'objet des mêmes disputes.

« Qui est là ? » crièrent-elles.

Elles entendaient des pas mais ne pouvaient pas voir puisque aucune n'arrivait à attraper l'œil tant convoité.

« Qui que tu sois », hurla la première, « viens nous donner ton avis. »

« Dis-leur de me rendre mon œil », grinça la seconde.

« Surtout ne la crois pas », se lamenta la troisième : « c'est mon tour de l'avoir. »

Persée prit l'œil et la dent des mains des vieilles et leur dit :

« Pourquoi en effet ne serais-je pas votre arbitre ? Je vais garder les objets de vos querelles, ainsi vous serez tranquilles. »

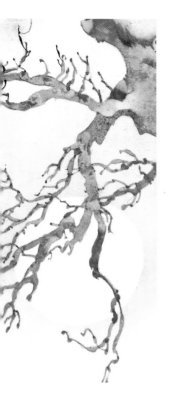

Les femmes se mirent à se lamenter, en tendant les mains pour attraper le jeune homme. Mais comme elles étaient aveugles, elles ne saisissaient que le vide.

Voyant qu'elles ne pourraient arriver à leurs fins, les vieilles se mirent à plaider :

« Rends-nous ce que tu nous a volé. Si tu le fais, nous exaucerons un de tes vœux. »

« Dites-moi », répondit Persée, « quel chemin il faut prendre pour aller chez les nymphes qui cachent les sandales ailées, le sac magique et le casque. Si vous me le montrez, je vous rendrai l'œil et la dent. »

Les vieilles essayèrent de le dissuader :

« Demande quelque chose d'autre ! »

Mais comme le jeune homme insistait, elles eurent peur qu'il s'en aille et lui révélèrent en gémissant la cachette des nymphes.

Persée leur rendit l'œil et la dent et quitta ce pays désolé en suivant la route indiquée par les vieilles. Plus il s'éloignait, plus la campagne devenait charmante. D'abord apparaissaient çà et là des touffes d'herbe, bientôt le sol fut recouvert entièrement d'une verte prairie. Les arbres solitaires et tordus cédaient la place aux bosquets embaumés, et, au milieu du taillis le plus touffu, les

nymphes aux pieds nus dansaient dans une clairière.

Le jeune homme leur demanda les sandales, le casque et le sac qu'elles lui donnèrent sans hésiter.

Il attacha les cothurnes ailés, se couvrit la tête et jeta le sac sur son épaule. D'un coup de talon sur le sol il s'envola dans les airs. Chaque pas était comme un battement d'aile qui l'emportait rapidement. Rien ne vint interrompre son vol. Il se promena par-dessus les arbres et les montagnes. Les buissons embaumés se firent rares, puis disparurent, les vertes prairies s'évanouirent à l'horizon et Persée traversa à nouveau un pays désolé. De grands et de petits rochers jonchaient la terre ; certains ressemblaient à des animaux, d'autres à des hommes.

Tous avaient été des êtres vivants transformés en pierre pour avoir osé regarder les Gorgones. Même des oiseaux égarés n'avaient pu échapper à ce fatal destin, ils étaient devenus de petits cailloux noirs.

Le regard du jeune homme s'arracha à la contemplation de ce paysage inhospitalier et il scruta son bouclier. Il y vit le même triste spectacle, et bientôt il aperçut aussi les Gorgones.

Leurs horribles crânes ornés de serpents à la place des cheveux inspiraient la terreur, bien qu'elles-

entrer dans son sac, même en sachant que celui-ci était magique. Mais le petit sac avala le fardeau comme un galet et ne changea pas de poids. Chargé de son butin, Persée frappa le sol de ses talons et s'envola.

Le battement des petites ailes éveilla les deux autres monstres, les sœurs immortelles. Elles regardèrent autour d'elles et, apercevant leur sœur morte, elles se déchaînèrent. Elles s'élevèrent à leur tour dans les airs et tourbillonnèrent au-dessus du lac dans l'espoir de retrouver l'ennemi. Leurs serpents ondulaient et se dressaient de façon menaçante. Mais, grâce au casque, Persée était invisible, et c'est en vain qu'elles sillonnèrent le ciel : elles ne purent le retrouver. C'est ainsi que le héros leur échappa...

Impatient de surprendre sa mère et le roi, il vola longtemps. Porté par les sandales ailées, il allait bientôt atteindre son but. C'est alors qu'une terrible tempête s'empara de lui et l'emmena dans la direction opposée.

Il lutta contre le vent, mais celui-ci était déchaîné et le rejeta sur la côte d'Afrique. Épuisé, il se coucha sur l'herbe. Ses yeux le piquaient et tout son corps lui faisait mal. Il aurait bien aimé se reposer.

« Que fais-tu là ? » tonna une voix au-dessus de lui.

mêmes soient endormies auprès d'un lac.

« N'hésite pas », souffla la douce voix de Pallas Athéna : « celle du milieu est Méduse. »

Persée descendit jusqu'aux monstres endormis. Les reptiles, ayant flairé l'odeur d'un étranger, se mirent à siffler en se dressant contre le gêneur.

Après un regard au bouclier, le jeune homme visa sa future victime, leva son épée acérée et d'un seul coup la décapita. Un cheval ailé, Pégase, s'échappa de la gorge tranchée et disparut dans les nuages, à l'intense surprise du héros.

Il restait maintenant à emporter la tête. Elle était si grande que le jeune homme doutait de pouvoir la faire

C'était le géant Atlas, debout au sommet d'une montagne, les jambes enfoncées dans la terre.

« Laisse-moi rester ici », demanda le jeune homme fourbu, « je vais me reposer un peu, je partirai ensuite. »

« Tu peux t'en retourner d'où tu viens », grogna Atlas en l'examinant avec méfiance. « Peut-être es-tu venu chercher les pommes d'or, qui sait ? Va-t'en immédiatement. »

Persée se fâcha et répondit :

« Je vais te récompenser de ta bonté ! » Et, détournant son visage, il sortit de son sac la tête de Méduse.

À cette horrible vue le géant se transforma en un énorme rocher et sa barbe ainsi que ses cheveux devinrent des bois et des taillis. La montagne se mit à grandir jusqu'à ce qu'elle supporte le ciel sur sa crête. De nos jours, elle s'élève encore en Afrique et s'appelle l'Atlas.

Le héros referma son sac, se coucha et dormit d'un sommeil lourd jusqu'à ce que les rayons d'un soleil brûlant l'éveillent. Il n'y avait pas la moindre brise et Persée avait hâte de rejoindre sa mère. Il reprit son vol. Tandis qu'il voyageait ainsi dans les airs, des gouttes de sang tombèrent de son sac. Dès qu'elles touchaient le sol, elles se transformaient en serpents venimeux qui, depuis cette époque, prolifèrent en Afrique.

Il avait déjà parcouru un long chemin lorsqu'il vit sur la terre une foule d'hommes qui couraient. Tous

son tour d'être sacrifiée. Elle vient d'être emmenée sur le rocher, nous l'avons accompagnée, mais maintenant nous nous dépêchons de fuir pour ne pas la voir périr. Bientôt l'affreuse bête va sortir des vagues. »

À cette nouvelle, Persée se précipita vers la côte et s'envola au-dessus de la mer. La jeune fille était enchaînée aux récifs sous les regards de ses parents qui ne pouvaient quitter leur enfant bien-aimée.

Soudain l'océan vibra et se mit à bouillir. Un ignoble animal sortit du fond de la mer et, écartant les vagues, montra son corps aux écailles visqueuses. Andromède poussa un cri tandis que ses parents désespérés se mettaient à se lamenter sur la plage. Le monstre nagea vers le rocher où la jeune fille couvrait ses yeux terrifiés de ses mains tremblantes.

Alors le héros s'abattit sur la bête qui tentait de happer son ombre sur la mer. L'épée acérée transperça le serpent marin mais celui-ci sauta en l'air. Ce n'est que grâce aux sandales ailées que Persée parvint à lui échapper.

Il piqua l'animal encore et encore jusqu'à que l'eau soit rouge de son sang. Pourtant le monstre se secouait et continuait à combattre comme si les coups du héros le laissaient insensible.

quittaient précipitamment le rivage comme s'ils avaient fui un raz de marée. Persée descendit, se mêla à la foule et demanda ce qui se passait.

« Le malheur a frappé notre pays », répondirent les gens heureux d'épancher leur cœur. « Notre reine Cassiopée s'est vantée d'être plus belle que toutes les nymphes de la mer. Aussi Poséidon a-t-il imaginé une punition pour tout le royaume. Chaque jour, un horrible monstre sort des eaux, détruit nos troupeaux et avale quelques personnes. La princesse Andromède elle-même n'est pas épargnée, c'est aujourd'hui

Ses yeux ensanglantés surveillaient le moindre geste du jeune homme. Ce regard rappela à Persée la tête de Méduse. Il la sortit vivement du sac et la lui montra. L'effet fut immédiat : l'adversaire invincible fut changé en une pierre qui aussitôt coula à pic. Un tourbillon marqua l'endroit où la bête s'était abattue.

Andromède découvrit son visage, et son audacieux sauveur la compara en pensée à une étoile du matin qui se serait mise à briller après la tempête de la nuit. Il déposa son sac, son bouclier ainsi que ses armes et il courut délivrer la jeune fille dont la beauté le charmait.

Le roi et la reine s'approchèrent eux aussi pour remercier l'intrépide héros.

« Demande tout l'or que tu veux, prends de l'argent et des pierres précieuses », dit le souverain. « Je te donnerai tout ce que tu veux et j'y ajouterai des esclaves et des pur-sang. »

« Je préfère Andromède à toutes ces richesses », répondit Persée. « Si elle m'accepte pour époux, confie-la-moi, je l'aimerai de tout mon cœur. »

La princesse consentit avec plaisir à cette union car elle était tombée amoureuse du jeune homme.

« Je suis heureux », dit le roi, « de marier ma fille à un homme aussi courageux. Tous les trois nous avions tantôt quitté le palais en larmes, et nous sommes maintenant quatre à nous réjouir. »

Le héros ramassa ses talismans et vit avec surprise que les plantes et les petites brindilles sur lesquelles avait reposé la tête de Méduse s'étaient transformées en pierres. Certaines, tachées par le sang, étaient devenues rouges. C'était du corail et les nymphes de la mer en cultivèrent sous l'eau, où d'épais buissons apparurent.

Persée retourna avec le roi, la reine et Andromède au palais où l'on préparait déjà une magnifique fête pour le mariage. Le souverain offrit à son peuple un grand festin : chaque passant put s'asseoir à une table couverte de nourriture, manger et boire à satiété.

Les notables de la ville festoyèrent au palais avec les membres de la famille royale. Les coupes d'argent tintaient gaiement, l'encens et les fleurs embaumaient toutes les pièces tandis que les lyres charmaient les oreilles.

Soudain, au milieu des rires et des chants retentirent des bruits d'armes et des cris. Une troupe de guerriers fit irruption dans la salle, accompagnant l'ancien fiancé d'Andromède, Phinée. Il l'avait demandée en mariage, mais devant le danger il l'avait abandonnée

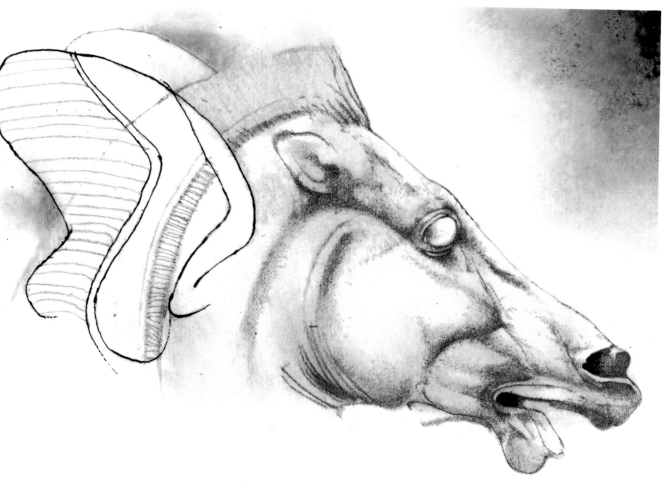

à la merci du monstre. Maintenant, muni d'une lance, il provoquait Persée :

« Je suis venu te faire payer le rapt de la princesse. C'est moi qui suis son véritable fiancé. »

Et, de toute sa force, il jeta sa lance. Celle-ci manqua le héros et alla se planter dans un coussin. C'était le défi. Les hommes de Phinée, déchaînés et sûrs de leur force, acculèrent Persée contre un mur.

Le jeune homme les repoussa bravement avec son épée jusqu'à ce que l'arme devienne brûlante entre ses mains. Lorsqu'il vit qu'il ne lui restait plus d'autre issue, il s'écria :

« Que ceux qui sont mes amis se détournent de moi ! » et il sortit du sac la tête fatale. Tous les guerriers s'immobilisèrent, les bras figés.

Alors Persée se mit à la recherche de Phinée. Le lâche, qui cherchait à se cacher, implora sa pitié.

« Tu as été assez brave pour répandre le sang des autres et faire massacrer des hommes pacifiques », dit le héros, « un tel courage mérite une statue », continua-t-il en pressant contre l'infortuné couard la tête de Méduse.

Phinée s'immobilisa à son tour ; mais, même lorsqu'il fut changé en pierre il garda son expression effrayée et demeura peureusement blotti dans un coin.

Le jeune homme ne resta pas longtemps loin de sa patrie.

Il s'ennuyait de sa mère. Bientôt il s'embarqua avec sa femme à bord d'un bateau à destination de l'île qu'il avait quittée en quête d'aventures.

En le revoyant, le roi son beau-père cacha difficilement sa déception : non seulement il était vivant mais il ramenait avec lui une jolie jeune femme.

« Tu n'as même pas rapporté la tête de Méduse ? » lui demanda-t-il d'un ton moqueur.

« Mais si, je l'ai », répondit le héros avec un sourire.

« Je savais bien que tu étais courageux », poursuivit le souverain, « mais je ne savais pas que tu étais un aussi intrépide menteur ! »

« Veux-tu la voir, ô roi ? » s'enquit Persée. « Je ne te le conseille pas, quinconque la regarde se transforme en pierre. »

« Les dieux savent quelle tête tu as tranchée », ricana son beau-père, « celle d'un bélier peut-être ? »

Ces propos mirent Persée en colère et, se détournant, il ouvrit son sac pour montrer la tête au roi. L'incrédule fut aussitôt changé en rocher.

Danaé, ayant appris par les serviteurs que son fils était revenu, vint à sa rencontre et se jeta dans ses bras. Elle embrassa joyeusement son fils et la femme de celui-ci.

« Méfie-toi du roi », le prévint-elle, « il veut ta perte. »

« Il ne faut plus en avoir peur », répondit le jeune homme, et il lui raconta ce qui s'était passé.

Persée devint roi. Il vécut longtemps sur l'île avec sa mère et son épouse bien-aimée. Pourtant il n'échappa pas à la vieille prédiction. Un monarque voisin l'invita un jour à participer à des jeux de force et d'adresse qui avaient lieu dans son royaume. Le jeune roi accepta et, pendant leur déroulement, lança un disque si maladroitement qu'il retomba au milieu du public et fracassa le crâne d'un vieillard. Celui-ci n'était autre que son propre grand-père, Acrisios, qui avait autrefois jeté à l'eau sa fille et son petit-fils. Effrayé par la prédiction, il avait secrètement quitté son palais et depuis il errait à travers le monde. Mais le Destin l'avait retrouvé et la prédiction s'était accomplie.

Frappé d'un profond chagrin, Persée l'enterra et retourna dans son royaume.

Il régna longtemps avec sagesse. Les dons magiques furent rendus à Pallas Athéna, mais il garda encore quelques années le sac renfermant la tête de Méduse qui le protégea efficacement contre ses ennemis.

BELLÉROPHON

La famille de Sisyphe ne connut jamais un sort favorable. Son fils mourut piétiné par ses chevaux, quant à son petit-fils, Bellérophon, il dut quitter sa patrie en toute hâte car il était soupçonné de meurtre.

Au cours de sa fuite, il traversa le royaume du roi Proétos, qui le reçut avec bienveillance et lui offrit l'hospitalité. Bellérophon était jeune, vigoureux, et ses gestes, ses paroles et ses opinions révélaient une noble origine. La reine se prit aussi d'affection pour lui et se mit à lui témoigner ses faveurs plus qu'à n'importe quel autre courtisan. Mais lorsqu'elle s'aperçut que son hôte restait indifférent à ses avances, elle se fâcha et essaya de le déconsidérer aux yeux de son époux.

« Il est orgueilleux », disait-elle, « il ne prête aucune attention aux honneurs qu'il reçoit. Je suis sûre que sa nature est mauvaise. »

« Cela peut être aussi de la modestie de sa part », répondit le roi. Et il continua à traiter le jeune homme en ami. La reine ne révéla pas ses noirs desseins. Le lendemain, elle soudoya un serviteur et s'en vint trouver son mari.

« Bellérophon nous a trahis », déclara-t-elle, « il est à la solde de tes ennemis et veut s'emparer de ton trône. Si tu ne t'en débarrasses pas au plus vite, il te tuera. Cet homme a tout entendu et peut en témoigner. »

Et la femme rusée appela le garde qu'elle avait acheté. Pendant longtemps, le roi ne put se résoudre à

origine. Ce n'est que le dixième jour qu'il lui demanda l'objet de sa visite.

Bellérophon lui dit d'où il venait et lui tendit la tablette. À sa lecture, le roi fut horrifié. Il s'était pris d'amitié pour le jeune homme et ne pouvait admettre l'idée de lui faire du mal. Aussi imagina-t-il un moyen d'éviter de rendre cet atroce service à son parent : il jugea plus équitable de charger Bellérophon d'une mission dangereuse dont l'issue dépendrait de son courage.

À cette époque, un étrange monstre vivait dans le royaume. C'était la Chimère. De face, elle ressemblait à un lion, de dos à un dragon et ses flancs étaient ceux d'un bouc. Elle avait trois têtes : une de lion, une de bouc et une de dragon. De plus elle crachait du feu et une fumée suffocante.

« Bellérophon », dit Iobatès, « tu es jeune et fort, pourtant tu n'as encore accompli aucune action héroïque. Va à la recherche de la Chimère, tue-la et reviens en guerrier victorieux. »

Il ne fallut pas davantage de paroles pour que le téméraire jeune homme prenne son épée, une lance, un arc et des flèches et se mette en route vers l'endroit d'où une colonne de fumée s'élevait vers le ciel. Cet indice désignait le lieu où se tenait le monstre. Chemin faisant, Bellérophon se disait : « La Chimère

croire à la traîtrise, mais comme la reine et le serviteur continuaient à tenter de le convaincre, il finit par croire ce qu'ils lui disaient.

Comme il n'osait pas frapper lui-même son invité, il écrivit des signes secrets sur une tablette et chargea Bellérophon de la porter à son parent le roi Iobatès. Plein de confiance et heureux de rendre service à son hôte, le jeune homme partit sans se douter que le message condamnait à mort celui qui le portait.

Iobatès était un vieux roi très bon. Il reçut chaleureusement le voyageur sans lui demander d'où il venait. Il organisa même en son honneur des fêtes qui durèrent neuf jours. Les bonnes manières du jeune homme suffisaient à prouver une noble est forte et rapide. Si j'arrive à trancher une des têtes, les deux autres vont se retourner contre moi. Et même si j'évite les flammes qu'elle lance, l'odeur me fera suffoquer. »

Pourtant son pas ne ralentissait pas tandis qu'il s'engageait dans la région montagneuse où vivait le monstre.

Soudain, il vit une source qui jaillissait de sous un rocher. Et, s'abreuvant dans cette source limpide, il reconnut le cheval ailé Pégase, celui qui s'était échappé de la gorge de Méduse.

« Si je pouvais monter sur cet animal », se dit Bellérophon, « j'attaquerais la Chimère par les airs et je serais plus vif qu'elle. » Caché par les buissons, il s'approcha doucement de Pégase. Il allait le saisir lorsque le cheval, sentant une présence étrangère, déploya ses ailes et s'envola.

Fort contrarié, le jeune audacieux se coucha sur l'herbe à côté de la source et s'endormit. Alors la déesse

Athéna lui apparut en rêve, lui tendit une superbe bride d'or et lui dit :

« Réveille-toi, sacrifie un taureau au dieu Poséidon ; tu arriveras aisément à attraper le cheval ailé avec la bride que je te donne. »

À demi réveillé, Bellérophon tendit les mains pour recevoir le cadeau divin. Mais celui-ci était déjà déposé près de lui et jetait des éclats d'or. Il s'en empara promptement et, réconforté par l'aide d'Athéna, se hâta d'accomplir le sacrifice à Poséidon. Par gratitude envers la déesse, il lui érigea aussi un autel.

Dans la soirée, il revint à la source et attendit le retour du cheval. Bientôt il entendit un battement d'ailes et Pégase se posa pour étancher sa soif. Le jeune homme s'approcha avec la bride d'or et cette fois l'animal merveilleux ne put lui échapper.

Bellérophon le sella, sauta sur son dos et lui indiqua la direction où il devait aller. Aussitôt Pégase s'envola et ils se mirent à planer au-dessus des prés et des bois. Ils tournèrent quelque temps au-dessus du défilé infesté de fumée, puis le héros prit une flèche dans son carquois et descendit à la vitesse d'un éclair pour attaquer le monstre. Il banda son arc et laissa filer le premier trait. Les trois têtes se dressèrent contre lui mais, monté sur Pégase, il était hors de leur portée. L'une après l'autre, ses flèches percèrent la Chimère jusqu'à ce qu'elle perde ses trois vies. Un dernier nuage de fumée s'éleva, puis une dernière flamme, et le monstre tomba au fond du défilé.

Bellérophon dépouilla la Chimère, enfourcha Pégase et retourna chez le roi Iobatès. Celui-ci, tout émerveillé à la vue du cheval ailé et de la peau de l'horrible bête, comprit que son jeune invité était protégé par les dieux et ne pouvait pas être un criminel. Il lui offrit la main de sa fille et bientôt le héros devint roi.

Mais lui aussi se mit bientôt à croire qu'il était capable de jouer

des tours aux dieux : n'était-il pas le petit-fils du rusé Sisyphe ?

« Puisque je possède le cheval ailé, pourquoi n'irais-je pas voir l'Olympe ? » se dit-il un jour. Aussitôt il enfourcha Pégase et le dirigea vers les hauteurs éternelles. Mais le cheval n'était pas de son avis : lorsqu'il se fut suffisamment élevé dans le ciel, il désarçonna son vaniteux cavalier d'une bonne ruade. À l'issue d'un saut vertigineux, Bellérophon se retrouva dans un marécage qui amortit sa chute et lui sauva la vie. Honteux devant les dieux et devant les hommes, il ne reparut jamais dans son royaume, mais vécut en solitaire et finit par mourir, seul.

Quant à Pégase, il poursuivit son vol vers l'Olympe, où il se mit au service de Zeus.

HÉRACLÈS

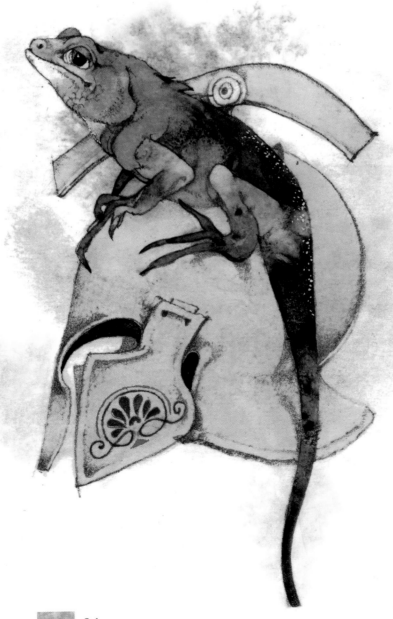

Le plus fameux des héros grecs fut Héraclès, fils du roi des dieux Zeus et de son épouse la mortelle Alcmène.

Enfant, il était déjà plus fort qu'un adulte. Un jour, deux grands serpents – envoyés par Héra – s'introduisirent dans son berceau et, s'enroulant autour du dormeur, entreprirent de l'étouffer. Il s'éveilla en poussant un cri et, empoignant les reptiles, les étrangla d'un seul effort.

L'histoire de ce prodige survenu à Thèbes se répandit à travers le monde et le prophète aveugle Tirésias prédit qu'Héraclès aurait une vie héroïque et laborieuse couronnée par l'immortalité.

Il grandit, instruit par les meilleurs professeurs de la ville qui lui apprirent les sciences fondamentales ainsi que les arts. Ils l'entraînèrent aussi au combat, au maniement des armes et à la conduite rapide des chars légers. Le jeune homme était un élève studieux qui apprenait en peu de temps ce que les autres mettaient des années à assimiler.

Mais dès l'âge le plus tendre il montra un caractère irritable et même coléreux. Un jour que son maître de musique le réprimandait, il lui jeta sa lyre à la tête avec une telle force que le vieil homme en mourut.

Regrettant son méfait il se mit à pleurer, mais il était trop tard. En punition, les dieux l'envoyèrent dans les montagnes vivre avec les bergers.

Dans les pâturages il garda les troupeaux. Il grandit parmi les pasteurs et devint très robuste.

« Venez vous battre avec moi ! » disait-il souvent à ses compagnons. Et bientôt il les surpassa tous par la force. Les animaux sauvages le fuyaient comme s'ils savaient que ses flèches ne manquaient jamais leur but. Sous la garde d'Héraclès, le bétail était en sécurité.

Dans sa solitude il avait le temps de penser : il se souvenait de la prédiction de Tirésias.

Un jour qu'ainsi il réfléchissait, il vit s'approcher deux femmes. La première, vêtue de blanc, marchait doucement et tranquillement ; l'autre, magnifiquement parée, se pavanait et avançait d'un pas dansant en regardant autour d'elle. Cette dernière dépassa l'autre et s'adressa à Héraclès :

« Ne sais-tu pas quelle vie choisir ? Alors, suis-moi. Je connais la voie la plus agréable. Tu mangeras et boiras autant que tu voudras, et tes mets seront les plus raffinés. Tu ne connaîtras ni la peine ni l'effort, et chaque soir un lit moelleux t'accueillera. Les autres travailleront pour toi. »

« Qui es-tu, pour pouvoir tant promettre ? » demanda le jeune homme tout surpris.

«On m'appelle la Volupté», répondit la femme, «et mes amis sont répandus à travers toute la terre.»

La blanche apparition s'approcha et dit à son tour :

«Rien de ce qui est bon et digne de désir n'est donné par les dieux sans travail. Si tu veux récolter, tu dois d'abord semer. Si tu veux surpasser les autres, ton labeur sera plus dur, tu devras te priver des agréments qu'ils connaissent. Si tu choisis de me suivre, le chemin que je te montrerai n'est pas facile. On m'appelle la Vertu.»

«N'as-tu pas honte de n'offrir que le travail et l'effort ?» se moqua la Volupté.

«Si tu la suis», reprit la Vertu, «tu mangeras sans faim, tu boiras sans soif et ne sauras pas quoi désirer. Tu traverseras la vie comme une ombre paresseuse et ne laisseras rien derrière toi, sinon une peau de chèvre vide gonflée de vin. Si tu m'accordes la préférence, tu auras un grand destin.»

Les silhouettes disparurent. Le héros n'hésita pas une seule seconde sur la voie à choisir : il fut séduit par la Vertu.

Le jour arriva où Héraclès dut regagner sa ville natale. Il était heureux de pouvoir bientôt mettre en pratique ses bonnes résolutions.

Au même moment, comme chaque année, le roi des Minyens, ennemi de Thèbes, envoyait ses collecteurs pour percevoir des citoyens un injuste impôt. Sur leur route ceux-ci rencontrèrent le jeune héros.

«Place ! Nous sommes les émissaires chargés de rassembler la taxe !» s'écrièrent-ils.

«Je suis Héraclès et j'ai quitté les troupeaux des montagnes pour aller défendre les opprimés. Retournez chez votre roi et dites-lui que la ville ne paiera plus jamais de redevances.»

«Qu'attendez-vous ?» cria le chef de la troupe à ses hommes. «Un homme seul ne peut nous arrêter.»

Les guerriers se jetèrent sur le gêneur, mais il les secoua comme

des plumes. Il brisa leurs lances, les attrapa et les ligota tous. Lorsqu'ils furent attachés ensemble, il les renvoya chez leur souverain. Puis il s'en alla tranquillement à Thèbes. À peine avait-il mis un pied dans la ville qu'un messager rapide du roi des Minyens se présentait au palais, réclamant de la part de son chef qu'Héraclès lui fût livré. Craintif, le roi de Thèbes allait livrer le héros, s'il n'avait pas rencontré la résistance d'une poignée de jeunes Thébains qui entourèrent leur idole et lui dirent :

« Nous ne voulons pas nous soumettre à la volonté d'un roi ennemi. Conduis notre troupe contre les Minyens : nous nous battrons en suivant ton exemple. »

« Comment espérez-vous combattre, puisque vous n'avez pas d'armes ? » répliqua Héraclès.

L'ennemi avait en effet emporté toutes les armes, espérant anéantir ainsi toute velléité de révolte.

Mais l'enthousiasme des jeunes ne se laissa pas abattre :

« Nous nous servirons de nos seules mains », s'écrièrent-ils. « Nous ramasserons des pierres et les lancerons sur eux, tant que nous finirons bien par les tuer. »

« Mais nous avons des armes ! » s'écria l'un d'entre eux. « Elles datent des victorieuses batailles de nos ancêtres et sont suspendues dans le temple de la déesse Pallas Athéna. »

Ils se mirent donc à courir vers le sanctuaire. Toutes les vieilles lances, les vieux glaives, les boucliers furent détachés des murs. La petite troupe se rassembla autour de son chef qui les emmena dans la montagne à la rencontre de l'armée minyenne. Héraclès choisit pour l'affrontement un étroit défilé où les forces supérieures de l'ennemi n'auraient aucun avantage sur lui. Ils n'eurent pas longtemps à attendre. Bientôt des nuages de poussière apprirent aux sentinelles qu'un grand détachement d'hommes s'avançait. Ils pouvaient distinguer les casques qui brillaient et entendre le bruit des chars. Le héros plaça lui-même ses guerriers à des positions stratégiques. Les Thébains tombèrent sur leurs adversaires comme des roches détachées du flanc d'une montagne qui tombent dans la vallée, emportant et détruisant tout sur leur chemin.

Les Minyens terrifiés se défendirent faiblement, et quand enfin Héraclès eut tué leur roi, ils jetèrent leurs armes et s'enfuirent éperdument. Les Thébains poursuivirent les vaincus jusqu'à leur capitale qu'ils détruisirent. Ils s'en revinrent victorieux, chargés d'un riche butin. Toute la Grèce se réjouit de l'exploit du héros

et ses concitoyens ne surent quels honneurs lui offrir pour exprimer leur gratitude. Les dieux de l'Olympe eux aussi lui firent des cadeaux. Apollon lui donna un arc et des flèches, Héphaïstos un carquois et Hermès une épée.

Personne n'avait jamais vu d'armes aussi magnifiques.

Le cousin d'Héraclès, le roi Eurysthée, régnait alors à Mycènes. Ce souverain faible et peureux enviait la gloire d'Héraclès et rêvait de pouvoir l'humilier. Comme il était l'aîné, il avait le droit d'ordonner à son parent d'entrer à son service. Le jeune héros résista et demanda l'avis de l'oracle de Delphes. Celui-ci lui répondit qu'il devait accomplir dix travaux au profit de son cousin, après quoi il serait libre et pourrait quitter son maître.

Très abattu par cette prédiction, Héraclès mit longtemps à se rendre à Mycènes.

« Voici enfin le grand Héraclès qui daigne me rendre visite ! » dit Eurysthée, l'accueillant avec un sourire moqueur.

Il voulut ajouter quelque chose, mais, comme une meilleure idée` lui était venue, il se tut.

Les yeux du héros jetaient des flammes. Évitant ce regard, le roi lui fit connaître le travail qui l'attendait :

« D'abord, rapporte-moi la peau du lion de Némée », dit-il.

Son visage exprimait toute sa fourberie : dans son cœur il souhaitait la mort d'Héraclès. Ce lion était un fauve redoutable. Beaucoup de chasseurs avaient suivi sa trace, mais aucun n'était revenu. Le jeune homme n'hésita pas et partit immédiatement. Sur son chemin, il rencontra beaucoup de monde : tous savaient déjà où il allait et ils chuchotaient entre eux :

« Il va tenter de tuer le lion de Némée. Il est fort mais qui sait s'il sera le vainqueur. Aucune lance n'a pu encore blesser cette bête, elle semble invincible. »

Mais lui ne faisait attention à personne. Il avançait en silence, paré des armes reluisantes de l'Olympe, vers les forêts où demeurait l'animal. Avec son glaive il se frayait un chemin à travers les buissons. Il parvint à un endroit où régnait un silence mortel, où les oiseaux eux-mêmes ne s'aventuraient plus et où les feuilles des arbres ne semblaient bruire qu'avec timidité.

Puis l'ouverture de la grotte du lion se profila, menaçante. Héraclès s'assit devant elle et attendit. Soudain, dans le crépuscule, des craquements se firent entendre. La bête rentrait de la chasse, écrasant des branches sous ses pattes

puissantes. Le héros leva son arc et visa les buissons. L'énorme fauve apparut, secouant sa crinière éclaboussée de sang. Une flèche siffla dans l'air et rebondit sur la peau du lion comme sur un rocher. Il banda à nouveau son arc et le second projectile glissa lui aussi sur la fourrure. Tandis qu'Héraclès allait recommencer une troisième fois, la bête se retourna lentement et le remarqua. Elle se ramassa, prête à bondir. Le jeune homme sauta de travers, et comme le lion retombait sur ses pattes à côté de lui, il le frappa sur la tête avec sa massue. L'animal, étourdi, tituba. Le héros sauta sur lui, serra son cou entre

ses mains et l'étrangla. Puis, l'ayant dépouillé de sa peau, il la revêtit en posant le crâne sur sa tête en guise de casque et jeta les pattes de devant sur ses épaules. Ainsi habillé, il rentra au palais de Mycènes. Eurysthée fut tellement effrayé qu'il en lâcha une coupe qu'il tenait à la main.

« Le lion, le lion ! » s'écria-t-il en prenant la fuite comme s'il avait vu l'animal vivant. « Fermez les portes ! » cria-t-il à ses serviteurs, « il est là ; la gueule béante ! » Il descendit en courant l'escalier de la cave et se cacha dans un tonneau dont il referma sur lui le couvercle.

Il fallut longtemps pour le convaincre que la bête était bien morte et que le héros n'en avait rapporté que la peau. Rassemblant un peu de courage, il souleva légèrement le couvercle, montrant une figure pâle et effrayée. Sortant à grand-peine de sa cachette, il bredouilla :

« Qu'Héraclès ne pénètre plus jamais dans mon palais ! Je lui ferai connaître mes instructions par personne interposée. »

La terreur du roi fit bien rire le jeune homme, qui garda pour lui la peau du lion. Elle le protégea le reste de sa vie comme la plus solide des armures.

Il n'avait pas eu le temps de se reposer que déjà le messager du roi annonçait :

mon troupeau et entraîné mon frère au fond d'un marais. Seul Héraclès pourrait le vaincre. »

Lorsqu'il sut que le voyageur n'était autre qu'Héraclès, il retrouva une certaine ardeur et il l'accompagna courageusement jusqu'au bord du marécage où était le repaire du serpent. Héraclès se mit à envoyer des flèches dans la tanière jusqu'à ce que l'hydre, agacée, sorte de son antre. Elle quitta son trou dans une lente reptation tout en sifflant et en s'ébrouant tandis que ses neuf cous se balançaient de façon menaçante au-dessus de l'eau.

Le héros prit son épée et se mit à couper les têtes. En vain : à peine en tombait-il une que deux nouvelles repoussaient. Un énorme crabe de mer vint à la rescousse du monstre et attrapa Héraclès par les pieds. Celui-ci l'écrasa d'un coup de massue et demanda au berger de lui apporter quelques morceaux de bois brûlants. Le brave garçon ramassa quelques branches, les enflamma et les tendit au combattant. Héraclès trancha une fois de plus les têtes hideuses et scella les plaies avec le feu. Les cous brûlés ne repoussèrent plus, et c'est ainsi que l'hydre périt. La tête immortelle fut enterrée sous une grosse pierre, pendant que tout le marais se teintait du sang noir et empoisonné de l'animal. Le héros y

« Le roi t'ordonne d'aller tuer l'hydre qui dévaste le pays autour de la ville de Lerne. »

Héraclès dut donc partir à nouveau.

L'hydre était un terrible monstre, un serpent à neuf têtes dont celle du milieu était immortelle. En approchant du but, le jeune homme rencontra un berger.

« Hé, l'ami », lui cria-t-il, « indique-moi le chemin de la tanière de l'hydre : je vais la détruire. »

« Je te préviens », répondit le pasteur, « le monstre a égorgé tout trempa ses flèches, qui depuis lors portèrent des coups toujours mortels.

Puis il quitta le berger et retourna à Mycènes. Il envoya un messager annoncer au roi que sa mission était accomplie. Mais Eurysthée le savait déjà. La nouvelle de l'exploit avait déjà parcouru toute la Grèce.

La rage au cœur, le cousin jaloux lui trouva un nouveau travail : il envoya le jeune homme dans les montagnes d'Erymanthe pour rapporter un énorme sanglier sauvage qui détruisait les moissons des vallées avoisinantes.

Héraclès le rapporta vivant sur son dos. Il réclama la biche de Cérynie consacrée à la déesse Artémis, et quelques mois plus tard le splendide animal aux bois dorés et aux pieds

d'airain fut ramené au palais royal. Il exigea que les oiseaux du lac Stymphale, dont les serres et le bec étaient de fer, cessent de terroriser le pays : le jeune homme les fit partir loin de Grèce.

« Je lui ai donné des travaux trop faciles », se dit le souverain. « Attraper des animaux, même s'ils sont surnaturels, est après tout possible. Je dois inventer quelque chose d'impossible à faire pour ridiculiser mon cousin. » Et il envoya à Héraclès le message suivant :

« Il faut nettoyer en un jour les écuries du roi Augias. »

Ce souverain possédait trois mille têtes de bétail et lorsqu'il sut pourquoi le héros venait chez lui, il ne put s'empêcher de sourire :

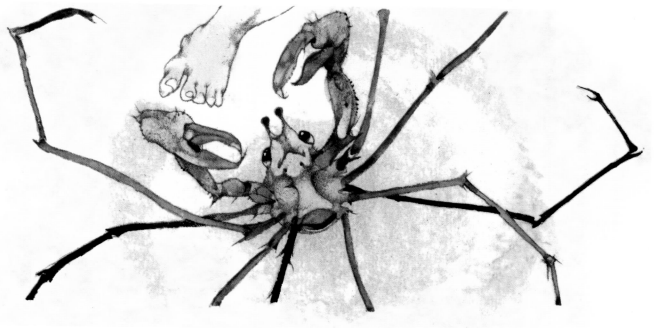

« Si tu arrives à nettoyer mes étables en un jour, je serai heureux de te récompenser en te donnant trois cents têtes prises dans mon troupeau », lui dit-il tout en pensant que jamais il n'y arriverait.

Sans perdre de temps, Héraclès se mit au travail.

Le roi gardait son bétail dans une grande enceinte. Les écuries n'avaient pas été nettoyées depuis des années. Héraclès examina soigneusement l'emplacement et les bêtes, qu'il fit sortir dehors. Puis il abattit un pan de mur et fit passer à travers la brèche deux rivières avoisinantes dont il détourna le cours. L'eau sale ressortit par le portail, pour regagner son lit.

C'est ainsi qu'Héraclès nettoya les étables sans se salir ni utiliser aucun instrument.

Le roi Augias n'en crut pas ses yeux lorsque, tôt dans la soirée, il vit ses écuries nettoyées. Pourtant il ne donna pas au héros la récompense promise. Eurysthée, de son côté, était bien certain que cette fois-ci Héraclès ne pourrait accomplir sa tâche et lorsque le jeune homme se présenta devant lui en demandant un nouveau travail, il fut frappé de stupeur.

La première idée qui lui vint fut d'envoyer Héraclès en Crète dompter le taureau sauvage, ce qui fut bientôt fait. Alors il lui commanda d'amener les chevaux du roi Diomède qui se nourrissaient de chair humaine, et, lorsque son ordre fut exécuté une fois de plus, il ne put que pousser un profond soupir.

Voyant sa détresse, sa fille l'embrassa et lui dit :

« Tu l'as toujours fait se battre contre d'horribles animaux, demande-lui donc de rapporter quelque chose de ravissant. Personnellement, j'aimerais beaucoup posséder la ceinture d'Hippolyte, reine des Amazones. On dit qu'elle est beaucoup plus belle que la plus fine parure de Mycènes. Demande-lui d'aller la voler. C'est un travail aussi difficile que les autres. »

Tout réjoui, le roi suivit ce conseil qu'il trouva fort à son goût.

Les Amazones étaient une race de femmes belliqueuses. Elles

supprimaient les garçons et n'élevaient que les petites filles. Elles ne leur apprenaient pas à tisser et à faire la cuisine, mais à se battre et à monter à cheval. Héraclès se doutait bien que la tâche serait rude.

Comme d'habitude, Eurysthée souhaitait la mort du jeune homme. Quant à sa fille, elle espérait surtout s'emparer de la ceinture. Son attente ne fut pas vaine : après beaucoup de dures batailles, Héraclès revint avec le précieux trésor et le déposa devant le roi.

« Il ne lui reste plus que le dixième travail... » se lamenta Eurysthée en décidant de l'envoyer aussi loin que possible accomplir cette dernière

tâche. « Qu'il aille chercher le troupeau du géant Géryon », pensa-t-il. « Géryon a trois corps, six mains, six pieds et ses bêtes sont gardées par un horrible chien à deux têtes. » Il appela un serviteur pour transmettre son ordre.

Le pays où devait se rendre le héros se trouvait fort loin à l'Ouest. Héraclès dut naviguer longtemps, puis traverser des continents entiers. Enfin il atteignit l'Afrique. Là vivait le géant Antée, fils de la Terre. Dès qu'il vit le voyageur, il vint à sa rencontre :

« Ne va pas plus loin ! » s'écria-t-il, « je ne laisse passer personne. Ou bien il faudra que tu mesures ta force à la mienne. »

Se voyant dans l'impossibilité de décliner cette offre, le jeune homme accepta le défi. Chacun essaya de faire tomber son adversaire. La terre tremblait sous leurs pieds, ils haletaient et leur front se couvraient de sueur, mais aucun n'arrivait à vaincre.

Chaque fois qu'Héraclès jetait Antée au sol, l'énergie de ce dernier décuplait et il reprenait le dessus. C'était sa mère la Terre qui lui donnait de nouvelles forces et le rendait invincible. Lorsque notre héros le comprit, il l'attrapa par la taille et, le soulevant dans les airs, l'étouffa.

Après cette victoire, il traversa l'aride Afrique et s'arrêta sur la côte devant le détroit que l'on appelle aujourd'hui le détroit de Gibraltar. De chaque côté du passage, il construisit deux énormes piliers de pierre pour commémorer son voyage. Les Grecs les appelèrent les colonnes d'Héraclès.

Le soleil était écrasant et brûlait la peau mais il restait un long chemin à parcourir. Ce fut le dieu Hélios qui eut pitié de lui. Il lui prêta le navire dans lequel il voyageait chaque nuit de l'Ouest à l'Est avant de rejoindre son char doré et de faire naître un nouveau jour dans le ciel. Grâce à cette aide inattendue, le voyageur atteignit bientôt le pays de Géryon.

À peine avait-il débarqué que le chien à deux têtes courut au-devant de lui en aboyant furieusement. L'ayant abattu d'un coup de massue, Héraclès entreprit de rassembler le troupeau dispersé dans les prairies. Puis il l'emmena en direction du soleil levant, vers la Grèce. Mécontentes de quitter leurs riches pâtures, les bêtes s'arrêtaient fréquemment en meuglant d'un ton plaintif.

En entendant ce bruit, Géryon se précipita sur ses six jambes à la

vitesse de la tempête. Chacune de ses six mains brandissait une arme. Il ressemblait, tandis qu'il agitait ses glaives et ses lances, à un véritable détachement de guerriers. Héraclès tendit la corde de son arc et abattit le géant d'une flèche empoisonnée par le sang de l'hydre.

Quelque temps après, le martèlement d'innombrables sabots retentissait devant le palais royal de Mycènes.

« Ô roi », dit le héros, « je t'ai ramené le troupeau de Géryon. C'était mon dixième travail, Rends-moi maintenant la liberté ! »

Mais le rusé Eurysthée avait déjà préparé sa réponse.

« Je ne peux toujours pas te libérer de mon service. Jusqu'à présent, tu n'as réellement accompli que huit tâches. Je ne reconnais pas les deux autres car c'est avec l'aide d'un berger que tu as vaincu l'hydre de Lerne et tu t'es fait payer pour nettoyer les écuries. »

« Mais le roi ne m'a pas donné le bétail promis », objecta le jeune homme.

« S'il te l'avait donné, tu l'aurais accepté. Voilà pourquoi je ne puis tenir compte de ce travail. »

« Comme tu voudras : j'ai mené à bien dix œuvres, pourquoi n'en accomplirais-je pas douze ? »

« Attends un peu », se dit Eurysthée, « j'ai enfin trouvé une idée en comparaison de laquelle tout le reste n'est rien : rapporte-moi donc les pommes d'or du jardin des Hespérides. »

Quand Héraclès entendit cet ordre du roi, il se fâcha :

« Comment pourrais-je cueillir ces fruits, alors que personne ne sait où se trouve le jardin ? »

« Cette difficulté rend le travail digne de mon cousin », dit le roi en souriant faussement.

Notre héros quitta le palais et se remit en route à travers le monde en demandant partout le chemin du jardin mystérieux. Personne ne put lui donner de conseil. Dans les pays qu'il traversait, il était sans cesse sollicité

de délivrer les peuples d'un monstre ou d'un géant malfaisant. Sa massue, son glaive, son arc ne restèrent pas inactifs ; il était toujours prêt à aider les hommes dans la détresse et sa popularité grandissait de jour en jour.

Sa recherche l'amena jusqu'au Caucase. Les gémissements de Prométhée enchaîné résonnaient tristement dans la montagne. Le héros suivit le son de la voix et il surprit l'aigle en train de s'envoler. Il l'abattit aussitôt d'une flèche empoisonnée. Escaladant les roches avec agilité, il brisa les entraves du malheureux et lui rendit la liberté. Plein de reconnaissance, le rescapé embrassa son sauveur, le remercia et lui demanda comment il pourrait lui

rendre son service. Comme celui-ci lui racontait l'objet de son voyage, il put lui donner ce conseil :

« Tu dois traverser l'Afrique jusqu'à ce que tu rencontres le géant Atlas. Demande-lui de te rapporter ces pommes. Ne va pas les prendre toi-même : trois nymphes, les Hespérides, gardent le jardin, aidées par le dragon à cent têtes Ladôn. Celui-ci ne s'endort jamais et chacune de ses cent gueules grogne et siffle de façon différente. Seul Atlas peut se mesurer à lui. »

Ce récit encouragea le jeune homme : il connaissait déjà le chemin de l'Afrique et se hâta sous le soleil à la recherche du géant. N'ayant pas trouvé d'abri pour la nuit, il se couchait par terre sous les étoiles, couvert par sa peau de lion. Un soir, il eut l'impression que quelque chose lui chatouillait doucement les bras et la figure. Il ouvrit les yeux et vit des nuées de nains, les Pygmées. Certains apportaient des cordes pour l'attacher, d'autres se mettaient en place comme une armée prête à attaquer. Ils grimpèrent sur la poitrine d'Héraclès, tâtèrent son visage et se dirigèrent vers ses cheveux. Amusé par l'expression solennelle des bonshommes, il éclata de rire, ce qui les fit tous tomber comme s'il était une montagne secouée par un tremblement de terre.

Le jeune homme les ramassa tous un par un dans sa peau de lion, en se promettant de les rapporter en Grèce. Ainsi chargé, il reprit sa route vers le domaine des Hespérides où vivait le géant Atlas.

Les dieux avaient chargé Atlas d'une bien lourde tâche : il devait soutenir la voûte du ciel pour qu'il ne se fracasse pas sur la terre.

« Qui viens-tu chercher ici ? » cria le géant au héros.

« Le roi Eurysthée veut avoir les pommes d'or, aussi je viens te prier d'aller les chercher. »

« Je le ferais avec plaisir, mais tu vois que je dois soutenir les cieux ; je ne peux pas quitter ma place. »

« Laisse-moi te remplacer un peu », répondit Héraclès, et il prit le ciel sur ses fortes épaules.

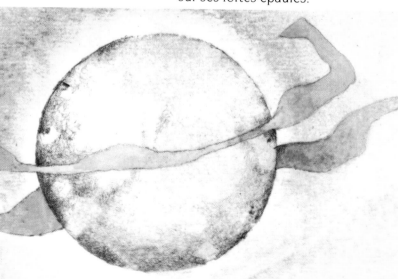

Atlas alla donc près du dragon, l'endormit, puis le tua et revint porteur des trois fruits. Il arriva devant le jeune homme qui titubait sous le poids de la charge et, le voyant ainsi immobilisé, hésita à reprendre son poste.

« Héraclès », lui dit-il, « j'ai goûté à la liberté et je n'ai plus envie de porter le ciel. »

Le jeune homme vit qu'il devait user de la ruse.

« Très bien », répondit-il, « mais laisse-moi au moins mettre un coussin sur ma tête : j'ai peur que le fardeau ne fasse éclater mon crâne. »

Peu méfiant, le géant tendit les bras pour soutenir la voûte. Notre héros ramassa les pommes d'or et s'enfuit à toutes jambes.

Le roi Eurysthée était depuis longtemps persuadé que son cousin était mort pendant le voyage, lorsque soudain, après des années, celui-ci apparut sain et sauf à ses yeux. Accablé, il reçut les fruits, et les Pygmées ramassés dans la peau de lion. Il fit placer le larcin dans le temple de la déesse Athéna qui le restitua aux Hespérides selon le commandement de la loi divine.

De plus en plus, le souverain se rendait compte de ce qu'au lieu d'humilier le héros il faisait grandir sa gloire. Les hommes voyaient en Héraclès leur protecteur et leur

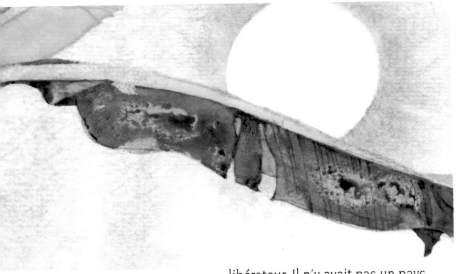

libérateur. Il n'y avait pas un pays dans lequel les habitants ne lui fussent pas reconnaissants de quelque bienfait accompli avec héroïsme. Son nom à lui seul éveillait dans les cœurs l'enthousiasme et le courage.

« J'attends que tu me donnes mon dernier travail », dit le jeune homme.

« Eh bien », dit le roi en essayant de rassembler ses idées, « va dans les profondeurs et rapporte-moi le chien des Enfers, Cerbère. »

Ce chien à trois têtes gardait l'entrée du monde des morts. Il laissait entrer les ombres des défunts mais ne permettait à personne de ressortir. Eurysthée fut très fier de sa nouvelle idée : jamais Héraclès n'avait eu à accomplir de travail aussi dangereux.

Pressé de quitter le service du roi, le héros se mit vite en route. C'était à l'Ouest, cachée parmi de noirs rochers, que se trouvait la grotte par laquelle on accédait aux Enfers.

Le dieu des profondeurs, Hadès, surpris à la vue d'un mortel, lui barra le chemin.

« Arrête-toi, Héraclès ! » s'exclama-t-il, « pourquoi veux-tu rejoindre la foule des ombres ? Tu es vivant et n'appartiens pas au royaume des morts. »

« Je suis venu sur l'ordre du roi Eurysthée pour emmener avec moi le chien Cerbère. Si j'y parviens, je pourrai quitter son service. »

« Tu veux prendre Cerbère ? » dit Hadès avec étonnement. « Si tu n'en as pas peur, fais-le. Mais à une seule condition : n'utilise aucune arme. »

Le héros acquiesça. Il fut accueilli par des aboiements terribles, tandis que des flammes jaillissaient des trois paires d'yeux.

Dans sa rage, le chien se jeta sur son adversaire. Celui-ci écarta les jambes et serra le monstre entre ses mains. L'animal se secoua en essayant désespérément d'avaler un peu d'air. Mais le jeune homme ne desserra pas son étreinte tant que la bête infernale ne fut pas matée. Puis il remonta avec elle sur la terre où, pour la première fois, Cerbère vit le jour. Fou de terreur, le chien se mit à gémir et à cracher une bave empoisonnée. Là où elle

tomba, une plante vénéneuse poussa.

Le peuple de Mycènes s'enfuit à la vue d'Héraclès tirant derrière lui sa proie maudite. À ce bruit, poussé par la curiosité, Eurysthée sortit de son palais. Voyant le monstre à trois têtes, il se mit à trembler d'effroi. Il rentra précipitamment au palais, claqua la porte avant de la verrouiller soigneusement et cria à son cousin à travers ce rempart de ramener le chien où il l'avait trouvé et de ne plus jamais se présenter devant lui.

C'est avec joie qu'Héraclès quitta son service. Il rendit l'animal aux Enfers et savoura sa liberté. Cependant, ses aventures n'étaient pas finies. Il ne s'attacha à aucun pays et continua à voyager au gré de sa fantaisie. Souvent, on l'appelait à l'aide, à cause de sa force et de son esprit.

C'est ainsi qu'il arriva un jour au palais d'Eurytos, roi très puissant, qui avait une fille ravissante nommée Iole. À ce moment se disputait un tournoi entre archers. La récompense du vainqueur devait être la main de la belle. Héraclès se présenta aussi et tenta sa chance contre une armée de prétendants. C'étaient des hommes expérimentés, mais les plus valeureux étaient le souverain et ses fils. Il paraissait déjà certain que le roi gagnerait et que les soupirants seraient évincés

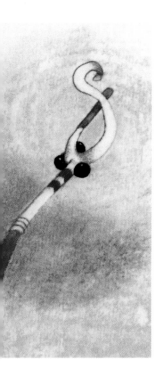

quand Héraclès entra en lice avec son fameux arc. Dans le plus grand silence, tous les regards se tournèrent vers le jeune homme.

Il ne rata pas une cible, et le roi Eurytos, désappointé, dut le proclamer vainqueur. Pourtant il ne lui accorda pas la main de sa fille, inventant sans cesse de nouveaux prétextes pour retarder le mariage.

Un jour, Héraclès se fâcha, et quitta le palais fort en colère. Pour apaiser son amertume d'avoir été ainsi trompé, il décida de rendre visite à son ami le roi Admète. Il trouva la ville plongée dans un grand chagrin. Le souverain en deuil l'accueillit sans une parole et le conduisit à la chambre où gisait le corps de sa défunte épouse. La reine Alceste était recouverte d'un linceul blanc. Son visage seul apparaissait, et elle était aussi jolie que de son vivant.

« Mon ami, tu es venu à une cérémonie funèbre », commença Admète et ses yeux se remplirent de larmes. « J'étais moi-même très malade », raconta-t-il, la voix vibrante, « et la mort me guettait déjà pour m'emporter ; mais le dieu Apollon, mon protecteur, demanda à la Moire Atropos de ne pas encore couper le fil de ma vie s'il se trouvait quelqu'un pour mourir à ma place. Ma pauvre femme, ma ravissante Alceste, l'apprit et sacrifia sa vie pour la mienne.

Voulant me sauver, elle me fait mourir deux fois, pour elle et pour moi. Depuis qu'elle m'a été ravie, j'erre dans ce palais comme une ombre et ma seule nourriture est constituée par mes larmes. » Héraclès fut ému par la détresse du roi et il sortit doucement du palais. Tout à son chagrin, Admète ne s'aperçut pas de son départ. Le héros monta dans le char le plus léger tiré par les chevaux les plus rapides et partit au galop en direction de la caverne menant au monde inférieur. Ce chemin ne lui était pas inconnu !

À sa vue, Cerbère se mit à gémir en serrant sa queue entre ses pattes. Héraclès fit irruption dans le royaume des morts. Le sol trembla sous ses pieds et des crevasses apparurent dans la roche. Hadès s'effraya de ce bruit exceptionnel dans ce lieu de silence et se hâta à sa rencontre.

« Ô roi des ombres », dit le héros, « l'âme de la blonde Alceste est venue chez toi de sa propre volonté, laisse-lui retrouver son corps. »

Constatant avec inquiétude les dégâts causés par l'arrivée du jeune homme, Hadès réfléchit quelques instants et préféra de rendre la vie à la reine plutôt que de laisser les murs s'effondrer au son de la puissante voix du grand Héraclès.

« Son âme rejoindra son corps », dit-il enfin à contrecœur, « quant à

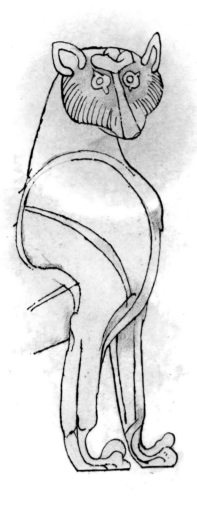

toi, va-t'en vite de mon royaume et promets-moi de ne jamais y revenir. »

Le héros acquiesça avec plaisir et quitta le monde inférieur pour retrouver le soleil. Il monta dans son char et retourna promptement au palais.

Pendant ce temps Admète remarqua que les joues de sa femme rosissaient. Sa respiration reprit, ses cils frémirent et Alceste ouvrit les yeux. Elle sourit à son mari. Pensant être l'objet d'un songe miséricordieux envoyé par un dieu compatissant, le roi fronça les sourcils : comme le réveil allait être cruel !

Mais son épouse prononça quelques paroles et il comprit que son rêve était réalité. Ce n'est que lorsqu'elle lui raconta comment elle avait été sauvée qu'Admète remarqua enfin l'absence d'Héraclès.

À son retour, le couple joyeux l'accueillit en grand bienfaiteur. Des fêtes magnifiques furent organisées en son honneur. Toute la ville se réjouit, chanta et dansa. Sept jours plus tard, l'infatigable héros les quitta.

Il fut rejoint sur son chemin par le frère de la belle Iole dont il avait espéré la main lors du tournoi d'archers.

« Ne te fâche pas contre moi, Héraclès », lui dit-il, « mais tu dois te laver d'un horrible soupçon. Après

que tu eus quitté le palais de mon père, nous nous sommes aperçus qu'il manquait des chevaux et des mules. Le roi croit que c'est toi qui les as pris. Viens m'aider à retrouver le voleur, ainsi tu seras disculpé. »

L'injustice de cette accusation réveilla le violent caractère du jeune homme. Dans son courroux, il attrapa le prince par son vêtement et le précipita dans un abîme où le malheureux messager alla se briser le cou.

Cette nouvelle crise de fureur mit fort en colère son père Zeus. Il avait donné sa force à son fils, non pour massacrer les hommes mais pour les aider lorsque cela était nécessaire. Aussi punit-il sévèrement son fils en lui faisant attraper une forte fièvre. Le colosse s'affaiblit à vue d'œil et se mit à trembler comme un faible vieillard. Toute son énergie disparut. Désespéré, il s'adressa à l'oracle de Delphes qui lui donna ce conseil :

« Tu dois devenir esclave pendant trois ans, c'est la seule façon d'apaiser les dieux. »

Tout à fait abattu, Héraclès se joignit à quelques amis sur un bateau faisant route vers l'Asie et alla se vendre sur un marché. Heureusement, il fut acheté par un bon maître en la personne de la reine Omphale.

Bientôt le héros retrouva sa vigueur. Il aida la souveraine à

débarrasser le pays des voleurs et se conduisit avec tant de bravoure qu'il força son admiration. Lorsqu'elle apprit que son esclave était le fameux Héraclès, elle lui rendit sa liberté et fit pleuvoir sur lui une pluie de présents. Comblé de luxe et de confort, il se mit doucement à oublier ses vertus héroïques. Il changea son mâle aplomb pour une allure efféminée, il s'habilla comme une femme et négligea l'usage de l'arc et de la massue. Mais lorsque les trois ans prescrits par l'oracle se furent écoulés, il rassembla son énergie. Se souvenant des actions glorieuses qu'il avait accomplies, il quitta la reine et son existence voluptueuse.

C'est alors qu'une fois de plus il brigua la main d'une princesse royale. Cette fois, c'était la ravissante Déjanire qui était l'objet de sa flamme. Il n'était pas le seul soupirant : la belle était aussi convoitée par le roi de la rivière Achéloos, qui pouvait à volonté changer de corps.

Un jour le dieu se présentait au père de la fiancée sous la forme d'un taureau, l'autre sous l'aspect d'un dragon, ou encore sous celui d'un homme à la tête de bœuf. La jeune fille était malade de peur à l'idée qu'il puisse l'emmener avec lui. Héraclès se présenta fort à propos. Vêtu de sa peau de lion, il gagna le cœur de Déjanire par sa beauté et sa force. Aussitôt celle-ci souhaita l'avoir pour époux à la place de l'horrible Achéloos. Effrayé à l'idée d'avoir à refuser l'un des prétendants, son père leur proposa un duel.

Le combat commença. Le héros lançait ses flèches l'une après l'autre. Devant leur impuissance, il prit sa massue et entreprit de frapper l'indestructible dieu avec tant de force que les coups résonnèrent dans tout le palais. À son tour, le roi de la rivière pourchassa son adversaire en essayant de le blesser avec ses cornes. Alors Héraclès lâcha son gourdin et, saisissant son adversaire par la taille, se mit à lutter avec lui. Ils se serrèrent l'un contre l'autre ; leurs veines se gonflaient sur leurs tempes mais aucun des deux ne voulait se déclarer vaincu. Ainsi enlacés, ils tombèrent sur le sol, et le jeune homme parvint à prendre le dessus. Il écrasa le dieu contre la terre mais celui-ci se changea immédiatement en un reptile glissant qui tenta de s'échapper. Sans relâcher son étreinte de fer, Héraclès allait écraser le serpent lorsque celui-ci se transforma en taureau prêt à attaquer. L'animal baissait le front et grattait la terre de son sabot quand soudain, le saisissant par la tête, le héros le jeta violemment sur le sol en brisant une de ses cornes. Alors

seulement Achéloos admit sa défaite et s'enfuit du palais.

Un grand mariage fut célébré. Héraclès épousa Déjanire et trouva la paix avec elle. Bientôt un enfant leur naquit, ils l'appelèrent Hyllos. La jeune femme pensait que rien ne pourrait troubler leur bonheur. Mais l'impatience d'Héraclès ne faisait que sommeiller et de temps en temps elle s'éveillait, chaque fois un peu plus fort. Il ne parvenait pas à rester définitivement au même endroit, aussi décida-t-il qu'il pourrait au moins aller rendre visite à l'un de ses vieux amis, et il se mit en route avec sa femme.

Ils arrivèrent au bord d'une large rivière que les voyageurs traversaient à cheval sur un centaure. Il y avait de sages et de bons centaures, comme celui qui avait élevé Jason, mais il y en avait aussi de malicieux, comme celui qui était chargé de faire passer le fleuve. N'ayant pas besoin d'aide, Héraclès se mit à l'eau, confiant son épouse à ce centaure, appelé Nessos. Dès qu'il vit Déjanire, celui-ci en tomba amoureux et l'entraîna au galop loin du jeune héros. Héraclès dévoila aussitôt la trahison et tira. Le centaure fut immédiatement abattu par une flèche empoisonnée. Il tomba et le sang se mit à ruisseler de sa poitrine. D'une voix affaiblie il murmura à la jeune femme :

« Je voudrais, belle Déjanire, te donner quelque chose avant de mourir pour te prouver que je ne suis pas aussi mauvais que le pense Héraclès. Recueille tout de suite dans cette coupe le sang qui coule de ma plaie. Si jamais ton époux t'oubliait ou souhaitait te quitter, trempe ses vêtements dans ce récipient et il ne te trompera jamais plus. Mais ne lui dis rien de tout cela, sinon la magie perdrait son pouvoir. »

Le centaure se tut et expira. Déjanire, qui l'avait cru, recueillit le sang chaud et le cacha rapidement tandis que son mari se précipitait à ses côtés. La fin du voyage se passa tranquillement sans aucune aventure.

Peu de temps après, Héraclès partit en campagne contre le père

d'Iole : il ne pouvait oublier la fausse promesse qu'il lui avait faite ni l'accusation qu'il avait portée contre lui. Il attaqua avec ses guerriers la ville du roi et la conquit. La cité et le palais furent livrés aux flammes et le souverain mourut dans les ruines. Le héros captura Iole et l'envoya chez lui à sa femme, avec les autres captives.

Dans son palais, Déjanire attendait impatiemment des nouvelles. Un détachement de la troupe triomphante fit son entrée avec les captives.

« Nous sommes victorieux », dirent-ils, « le royaume des ombres est plein de nos ennemis, nous sommes venus avec les femmes et bientôt ton époux reviendra avec ses guerriers. »

L'épouse inquiète regarda les captives et s'arrêta devant la charmante Iole.

« Qui est-ce ? » demanda-t-elle aux messagers en montrant la belle jeune fille en pleurs.

« C'est la princesse », lui fut-il répondu. « Il y a quelques années Héraclès s'est battu pour obtenir sa main, il gagna le tournoi mais le roi reprit sa parole et ne voulut pas la lui donner pour femme. »

L'anxiété et la tristesse s'emparèrent de Déjanire. Elle eut peur que son mari la répudie au profit de la jeune fille qu'il avait ramenée. De lugubres pensées la poursuivaient

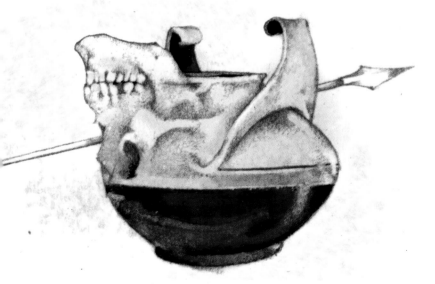

à chaque pas. Toute à sa crainte, elle se souvint des conseils du centaure. Elle sortit la coupe de sang de sa cachette et la transporta dans la cave de façon que personne ne la voie. Là, elle prit une tunique neuve qu'elle avait préparée pour le retour du héros et la trempa dans le liquide magique. Puis elle tendit le pourpre ornement à un serviteur et lui ordonna de le porter au combattant victorieux.

Les jours passèrent et Héraclès ne revenait pas. Son fils Hyllos partit à sa rencontre, souhaitant pouvoir donner à sa mère des nouvelles fraîches. Peu après, il s'en revint, seul, en se lamentant. Secoué de sanglots, il raconta la scène dont il avait été le témoin.

Héraclès, après la bataille, avait préparé un sacrifice aux dieux immortels. Pour cette cérémonie, il voulut mettre la tunique offerte par sa femme. Soudain, au milieu des célébrations, il tomba à terre, terrassé par d'horribles douleurs. Il se mit à hurler comme si des fauves en furie le lacéraient de toutes parts et son premier mot fut le nom de son épouse : « Déjanire ! L'habit qu'elle m'a envoyé a consumé mon sang et mes os ! Mettez-moi vite à bord d'un bateau, que je ne meure pas sur une terre étrangère ! »

La mère écouta avec horreur le récit de son fils, puis s'enfuit vers sa chambre où elle se perça le cœur avec un glaive. Hyllos la rattrapa trop tard : son âme avait déjà rejoint le royaume des profondeurs.

Héraclès mourant vogua vers son pays natal et s'y fit porter en haut d'une montagne. Ses amis y dressèrent un bûcher sur lequel ils le déposèrent et le héros leur demanda d'allumer le feu. Aucun ne trouva le courage de le faire. Après beaucoup d'hésitations, Philoctète leva enfin une torche enflammée. Il fut récompensé de ce service : Héraclès lui légua son arc et ses flèches.

Dès que des lueurs s'élevèrent du bûcher, un éclair fulgurant s'abattit du ciel, accompagné par un puissant grondement de tonnerre. Un nuage de lumière descendit et emporta le héros vers l'Olympe. Pallas Athéna accueillit Héraclès parmi les dieux.

C'est ainsi que s'accomplit la prophétie de l'aveugle, disant qu'après une vie de labeur il gagnerait l'immortalité. Sur terre, sa mémoire resta éternelle. Partout où il avait aidé les hommes en les défendant et en les protégeant contre le mal, le peuple reconnaissant garda son souvenir et l'honora. Le récit de son épopée passa de bouche en bouche, de siècle en siècle, jusqu'à nos jours.

LA TOISON
D'OR

Il y avait une fois en Grèce un roi dont la femme était issue d'une famille divine. Ils avaient un petit garçon et une petite fille : Phrixos et Hellê. Le roi Athamas aurait dû remercier les dieux de vivre en paix dans un foyer heureux égayé par deux enfants en bonne santé. Pourtant il n'appréciait pas son bonheur et souhaitait toujours autre chose. Un jour il répudia sa femme et se remaria. C'est ainsi que Phrixos et Hellê eurent une marâtre. Cette dernière détestait les petits, les grondait du matin au soir et les traitait très méchamment. Les enfants l'évitaient en se cachant dans le jardin du palais et, lorsqu'elle ne les trouvait pas, elle se fâchait encore plus et se plaignait au roi.

Cette situation s'aggrava lorsqu'elle mit au monde deux garçons. On aurait eu peine à imaginer les choses cruelles et fausses qu'elle parvenait à raconter au roi à propos de Phrixos et d'Hellê. Elle-même les punissait avec encore plus de sévérité et souhaitait que leur père en fît autant. Effrayée que ses fils aient un jour à partager avec eux les richesses royales, elle se demandait comment elle pourrait faire pour que seule sa descendance hérite de tout le royaume.

Son blanc visage dissimulait de noirs desseins. Enfin, elle décida de

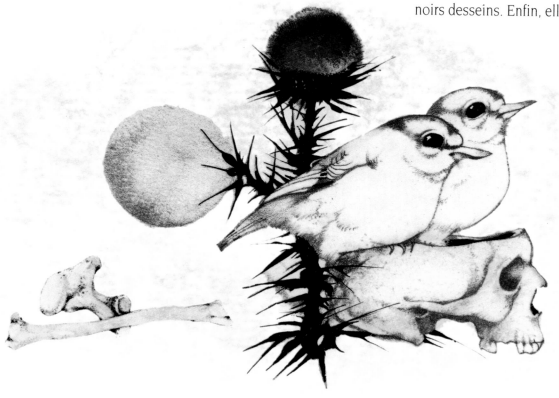

tuer les enfants. Sachant que le roi ne le permettrait pas, elle dut préparer longuement et soigneusement son forfait.

Un jour, la reine convoqua les femmes du pays et leur dit :

« Je sais combien vous êtes courageuses et pourtant vous n'êtes pas riches. Vous travaillez, comme vos familles tout entières, et pourtant vous avez du mal à remplir vos greniers de blé. Moi, j'ai découvert un moyen de tripler la récolte et serai heureuse de vous le révéler. Avant d'ensemencer vos champs, vous devez griller le grain et vous verrez qu'ainsi vos granges pourront à peine contenir la moisson. Surtout ne révélez ce secret à personne, pas même à vos maris, car si vous le faites vous n'aurez rien et les dieux immortels puniront votre indiscrétion. »

Les femmes remercièrent la reine et chacune regagna gaiement sa maison. Déjà, elles imaginaient la richesse sous forme d'un chariot d'or rempli d'épis dorés. Elles furent muettes et rôtirent en secret les semences.

Bientôt les prairies reverdirent mais ce ne furent pas les tiges vertes et minces du blé qui jaillirent du sol, bien au contraire : ce furent les mauvaises herbes et le chardon. Partout la récolte fut perdue et,

comme les femmes se taisaient, personne ne sut jamais ce qui s'était passé. La famine envahit le royaume.

Alors la rusée marâtre conseilla à son époux d'envoyer un messager à l'oracle de Delphes pour lui demander pourquoi les dieux avaient tant éprouvé son pays. Mais, avant que l'homme ne prenne la route, la reine l'appela, et, lui remettant une grosse bourse d'or, lui dit :

« Ceci n'est que la première moitié de ta récompense. Tu auras l'autre si tu fais ce que je vais te demander. Ne va pas à Delphes. Fais seulement mine de partir dans cette direction mais reste dans les forêts. Le jour où tu devrais rentrer de voyage, va au palais et transmets au roi cette prédiction : "La famine quittera votre pays et vos champs seront à nouveau fertiles quand vous aurez sacrifié aux dieux Phrixos et Hellê." »

Enivré par le trésor qu'il tenait entre ses mains, le messager promit d'obéir avec empressement. Il fit semblant de partir et sa cacha dans les bois d'où il revint quelque temps après porteur du terrible augure. Mais le roi refusa de s'y plier. La mégère, craignant de voir décelée sa ruse criminelle, souleva la population affamée pour vaincre la résistance de son époux.

« Allez », s'écria-t-elle, « et forcez-le à suivre les conseils de l'oracle, sinon

nous périrons tous de faim. Tant que les enfants seront en vie, la colère des dieux ne s'apaisera pas. »

Poussé par ce discours, le peuple fit aussitôt une émeute autour du palais. Devant les cris et les menaces, le souverain dut céder.

Craignant que les petites victimes ne s'enfuient, la marâtre les enferma elle-même pour la nuit. Le sacrifice devait avoir lieu le lendemain matin.

Le temps parut long à tout le monde : la reine ne parvenait pas à calmer sa joie, le roi, rongé par le chagrin, ne trouvait pas le sommeil, quant aux enfants, ils se serraient l'un contre l'autre dans l'obscurité et osaient à peine respirer.

Dès que les premières lueurs du matin parurent à l'horizon, la foule envahit la grande place de la ville, espérant que la malédiction quitterait leurs champs et qu'enfin la terrible famine cesserait.

Phrixos et Hellê furent couronnés et menés à l'autel dans le plus grand silence. Le jeune garçon regarda autour de lui pour la dernière fois et leva les yeux vers le ciel. Il vit alors un nuage éblouissant qui grandissait à chaque seconde en se rapprochant de la terre et qui bientôt recouvrit les hommes et l'autel, le dérobant ainsi que sa sœur à la vue des spectateurs. Un bélier d'or sauta de l'éblouissante nuée et s'agenouilla devant Phrixos et

Hellê terrifiés. La douce voix de leur divine mère s'éleva alors :

« Mes enfants, je suis venue vous sauver. Montez sur ce bélier, et n'ayez pas peur. »

Rassemblant son courage, Phrixos toucha l'animal miraculeux et l'enfourcha en tenant ses cornes. La petite fille s'assit derrière lui sur la fourrure dorée. Aussitôt le bélier s'éleva vers le ciel, les sauvant de la reine démoniaque et du sacrifice.

« Tenez-vous bien ! » dit la déesse.

Ils volèrent ainsi à travers le grand silence du matin. L'animal planait comme un oiseau. Sa toison d'or jetait de tels éclats que plus d'un voyageur fut étonné et pensa qu'un nouveau soleil se levait.

Après avoir survolé la terre ils gagnèrent la mer avec ses îlots rocheux et ses bateaux semblables à des taches sur l'eau.

Phrixos enlaça le cou du bélier et prévint sa sœur :

« Sois prudente, ne regarde pas en bas, tu risquerais de tomber. »

Hellê obéit à son frère et fixa ses yeux devant elle sur les nuages qui défilaient. Elle resta ainsi pendant un long moment quand, soudain, il lui sembla que leur monture s'immobilisait entre ciel et terre. Voulant s'assurer qu'ils volaient toujours, elle jeta un regard vers la mer et aussitôt le vertige la saisit.

Ses mains quittèrent le pelage doré, elle glissa et tomba dans l'eau profonde après une chute vertigineuse. En essayant de la rattraper, son frère faillit aussi perdre l'équilibre. Tout en se tenant fermement aux cornes, il descendit rapidement, mais les vagues avaient déjà englouti l'imprudente. Il ne la revit plus. La mer où l'on retrouva son corps reçut son nom, et fut appelée l'Hellespont.

Phrixos poursuivit son vol tout seul. Vers le soir, il remarqua des montagnes à l'horizon, semblables à une rangée de géants, leurs blancs chapeaux de neige brillant comme des feux à la lueur du soleil couchant. Dans les vallées s'étendait un riche pays. Le bélier d'or se dirigea vers la plus belle ville et se posa sur une verte prairie devant un palais de marbre. Le jeune garçon mit pied à terre et regarda autour de lui.

La vigne enlaçait les piliers de marbre ; quatre tonnelles abritaient quatre fontaines, l'une donnant du lait frais, l'autre du vin doux, la troisième de l'huile précieuse, la quatrième enfin jetait vers le ciel un filet d'eau limpide, froid comme de la glace en été et chaud en hiver.

Pendant qu'il admirait les sources miraculeuses, le roi Aiétès traversa la cour. Il lui parla, lui demanda d'où il venait et l'invita au palais.

Phrixos lui raconta le crime de sa belle-mère, la sinistre prédiction et la perte de sa sœur Hellê. Dès que le souverain eut entendu l'histoire du bélier d'or, il fut impatient de le voir. Le jeune homme l'emmena à la prairie où paissait l'animal. Il brillait tellement que les arbres, l'herbe et les buissons semblaient être dorés eux aussi. Quant au roi, il dut se voiler les yeux avec sa main.

« Je sacrifierai le bélier à Zeus pour le remercier, mais la toison, je te l'offrirai, ô roi. »

L'hôte fut charmé par ce précieux cadeau. Dès que l'immolation fut accomplie, il transporta la toison d'or dans un bosquet dédié au dieu de la guerre, Arès, et la cloua aux branches d'un chêne géant. Puis il demanda à sa fille Médée, qui pratiquait la magie, d'appeler des profondeurs de la terre un gardien pour ce trésor. Celle-ci se mit à faire des incantations et soudain apparut un énorme dragon, rampant parmi les taillis. Son dos était orné d'une crête acérée et dans sa gueule sanglante s'agitaient trois langues empoisonnées. Le monstre s'enroula docilement autour de l'arbre et depuis lors en surveilla l'approche jour et nuit.

Le jeune rescapé vécut chez le roi Aiétès et finit par épouser une de ses filles. Les années passèrent. Phrixos mourut, mais la renommée de la toison d'or s'étendit dans le monde entier. Le vieux roi venait souvent contempler la merveille. Un oracle lui prédit que le malheur frapperait sa famille s'il perdait la toison,

c'est pourquoi il était heureux d'avoir un gardien aussi horrible.

Bien des fous tentèrent de voler le trésor. Mais ceux qui vinrent à pied moururent dans le sable brûlant du désert qui séparait le royaume du reste du monde. Ceux qui voulurent arriver par la mer périrent noyés pendant leur long voyage. Quant à ceux qui arrivèrent à bon port, ils n'échappèrent pas au terrible dragon.

Pendant toutes ces années, la Toison d'or illumina le pays du roi Aiétès, semblable au soleil pendant la journée et à la lune pendant la nuit.

Plus tard, elle devait être l'objet de la fameuse quête de Jason.

JASON
ET
MÉDÉE

Les centaures étaient moitié hommes, moitié chevaux : la tête et les épaules étaient celles d'un homme, le reste du corps était celui d'un cheval, avec quatre jambes et des sabots. Celui dont il est présentement question, Chiron, était fort et sage, et il avait déjà élevé plus d'un héros grec.

Jason vécut avec lui dans une grotte et s'habitua bientôt aux montagnes et aux forêts. Il apprit à se battre, à courir, à tirer à l'arc et il s'imprégna aussi de la sagesse de son maître. Son corps et son esprit furent également entraînés, et lorsqu'il eut atteint vingt ans, il quitta sa retraite pour aller réclamer au roi Pélias le trône volé à son père, qui entre-temps était mort.

Sur son chemin, Jason rencontra une rivière en crue au bord de laquelle pleurait une petite vieille toute bossue :

« Ô voyageur, sois assez bon pour me porter de l'autre côté. Tu es jeune et fort, moi je suis vieille et faible. »

Comme il avait bon cœur, il la prit dans ses bras et la fit ainsi traverser le courant. En atteignant l'autre rive, son pied s'enfonça profondément dans la vase. Il ne s'aperçut qu'il lui manquait une sandale que lorsqu'il fut revenu à son point de départ.

Mais il ne perdit pas de temps à la rechercher et se hâta vers la ville.

Il y avait une fois en Grèce un vieux roi qui mourut en laissant deux fils. L'aîné s'appelait Æson et le plus jeune Pélias. Le premier devait succéder au défunt roi. Or, à peine les lamentations funèbres s'achevaient-elles, à peine le corps du souverain finissait-il de se consumer sur le bûcher, que le cadet, cruel et rusé, détrôna Æson et le chassa de la ville.

Celui-ci vécut dès lors à la campagne mais là non plus il ne pouvait trouver la paix : il craignait pour la vie de son fils, Jason. Aussi imagina-t-il de simuler l'enterrement de son fils comme s'il était mort, pendant qu'en secret il l'envoyait dans les montagnes chez un sage et noble centaure.

Pendant ce temps la vieille avait disparu, sans qu'il se doutât qu'elle était la déesse Héra, femme du roi des dieux, Zeus. Elle s'était ainsi transformée pour éprouver la bonté de Jason. Charmée par sa gentillesse, elle décida de le protéger dorénavant au cours de ses voyages.

À moitié chaussé, vêtu d'une peau de panthère et tenant une lance dans chaque main, le jeune homme arriva dans la cité. Il vit des gens assemblés sur la place du marché pour préparer des fêtes en l'honneur de Poséidon. À la vue de ce beau héros au visage de dieu, ils se dirent qu'une divinité était descendue parmi eux se joindre aux festivités.

Seul Pélias fut terrifié, quand il eut remarqué que l'arrivant n'avait qu'une seule sandale. Il s'était souvenu d'une vieille prédiction qui le mettait en garde contre un homme au pied nu qui causerait sa perte.

Habitué à la ruse, le roi cacha son émoi et demanda :

« Qui es-tu, étranger, et que cherches-tu dans notre ville ? »

« Je suis le fils d'Æson », répondit Jason, « et je viens te voir, ô roi ! Je ne veux pas te retirer les richesses que tu as prises à mon père, je veux seulement que tu me rendes le trône qui me revient. »

« Je serais heureux de satisfaire ta demande », répondit Pélias sans hésiter, « mais je voudrais que tu me rendes un service : si je n'étais pas si vieux, je ferais cela moi-même. Voici de quoi il s'agit : chaque nuit, l'ombre de notre parent Phrixos m'apparaît et me demande d'aller en Colchide chez le roi Aiétès pour lui reprendre la Toison d'or. Son âme ne peut trouver la paix tant que la Toison ne sera pas revenue dans sa terre natale. Va, rapporte-la. Tu deviendras célèbre et notre mort trouvera le repos dans sa tombe. Ta mission accomplie, je te céderai le royaume. »

Le jeune homme acquiesça, car il ne savait pas quels dangers il courait. Quant au fourbe souverain, il sourit à l'idée de se débarrasser, grâce à sa ruse, de cet encombrant prétendant.

Jason envoya des messagers à travers tout le pays afin de rassembler les plus valeureux héros de Grèce pour aller chercher la Toison d'or. Les plus braves se joignirent à lui : Héraclès et Thésée étaient parmi eux. Même Orphée, l'aède, répondit à l'appel. Un constructeur expérimenté leur construisit un solide bateau. Ils l'appelèrent l'Argo, et prirent pour nom : les Argonautes.

Avant leur départ ils offrirent un grand sacrifice au dieu Poséidon et à toutes les divinités de la mer, puis ils s'embarquèrent. Cinquante rameurs tiraient sur les rames, et bientôt le port fut hors de leur vue.

Ils naviguèrent sur des mers inconnues, ils contournèrent des îles et des pays étrangers. Profitant d'un vent favorable, ils hissèrent la voile et le bateau glissa en avant. Lorsque le vent tomba, ils ramèrent avec énergie, la sueur coulant de leur front.

Ce voyage était semé d'embûches. Parfois, de grandes rafales couchaient le bateau. Ils dérivèrent sous des tornades au milieu du tonnerre et des éclairs. Des géants diaboliques, assis sur les côtes qu'ils longeaient, jetaient des rochers dans leur sillage au point que des vagues immenses balayaient le pont.

Mais la déesse Héra veillait sur Jason. Son aide, le courage des héros et les flèches d'Héraclès eurent raison des mauvais sorts. Ce dernier, rappelé par Zeus pour d'autres tâches, quitta les Argonautes.

Le bateau naviqua longtemps. Pourtant le but de leur voyage était encore loin. Le soleil devint de plus en plus cuisant, les Argonautes connurent la soif et n'eurent bientôt plus d'eau à boire. Aussi abordèrent-ils la côte la plus proche. La plage était rocheuse et inhospitalière. Quelques marins partirent à la recherche d'une source. Lorsqu'ils revinrent, ayant rempli leurs outres, pour étancher la soif de leurs camarades, une maigre et sinistre silhouette s'approcha d'eux. C'était

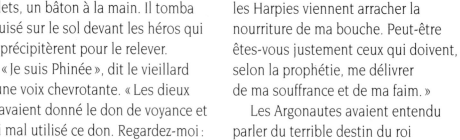

un vieil aveugle, trébuchant parmi les galets, un bâton à la main. Il tomba épuisé sur le sol devant les héros qui se précipitèrent pour le relever.

« Je suis Phinée », dit le vieillard d'une voix chevrotante. « Les dieux m'avaient donné le don de voyance et j'ai mal utilisé ce don. Regardez-moi : voilà comment punissent les immortels ! La déesse de la vengeance

m'a privé de la vue et chaque jour les Harpies viennent arracher la nourriture de ma bouche. Peut-être êtes-vous justement ceux qui doivent, selon la prophétie, me délivrer de ma souffrance et de ma faim. »

Les Argonautes avaient entendu parler du terrible destin du roi Phinée. On le chantait dans toute la Grèce ; aussi promirent-ils de l'aider. Une petite écuelle fut remplie de viande grillée et offerte à l'aveugle. Mais à peine avait-il approché un morceau de ses lèvres que l'on entendit le battement des ailes des Harpies, bêtes hideuses aux têtes de vieilles femmes et aux corps de vautours. Elles tendirent leurs serres crochues pour voler les victuailles offertes au malheureux.

Les marins crièrent sans les effaroucher. Ce n'est qu'à la vue des glaives nus qu'elles prirent peur de ces lames étincelantes. Elles s'enfuirent et ne revinrent jamais plus.

L'infortuné vieillard put enfin se rassasier. Il mangea goulûment et remercia ses libérateurs avec effusion. Pour les récompenser, il leur dit aussi ce qui les attendait dans les jours à venir et les conseilla pour la suite de leur voyage.

« Vous atteindrez bientôt deux énormes rochers », leur dit-il. « Ce sont les Cyanées, ou Roches bleues.

Elles ne sont pas fixées au fond de la mer et dérivent en se heurtant fréquemment. Entre elles, vous seriez écrasés comme des grains de blé. Ne passez pas entre elles avant d'avoir lâché une colombe. Si elle passe au milieu, tirez sur les rames et suivez-la rapidement. Puis dirigez-vous droit vers l'Est : c'est là qu'est la Colchide. Vous reconnaîtrez facilement le palais d'Aiétès : il est couronné par plusieurs tours. Près de ce palais vous trouverez un bosquet dédié au dieu de la guerre Arès, et dans le bosquet vous verrez le gardien du trésor : le dragon qui ne dort jamais. Votre tâche sera périlleuse, mais la déesse Héra vous protège, et, si le pire survenait, Aphrodite, la déesse de l'amour, vous aidera. »

Le vieil homme se tut et son regard aveugle se fixa au loin, comme s'il voyait à l'horizon les tours du palais d'Aiétès et la futaie où la toison merveilleuse jette des éclats dans le ciel bleu.

Les navigateurs dirent adieu à Phinée et s'embarquèrent. Leurs efforts vigoureux les amenèrent bientôt en vue du royaume d'Aiétès.

Quelques instants après, ils entendirent au loin un fracas épouvantable. À leurs yeux apparurent les deux gigantesques roches, les Cyanées. Elles se heurtaient avec un bruit assourdissant, tandis que les vagues s'écrasaient contre le bateau des Argonautes. Les hardis marins immobilisèrent le vaisseau qui tanguait fortement, et lâchèrent une colombe. Les montagnes s'écartèrent et la colombe disparut entre elles. Puis elles se heurtèrent à nouveau, résonnant comme le tonnerre, et lorsqu'elles se séparèrent, les hommes virent l'oiseau qui battait gaiement des ailes de l'autre côté des rochers.

La colombe volait en direction du rivage le plus proche, celui de la Colchide. Comme preuve de son passage, il ne restait sur la mer qu'un petit tas de plumes arrachées à sa queue.

Nos héros tirèrent vivement sur les rames et le vent rageur les poussa dans le défilé. Ils mirent toutes leurs forces à échapper au danger. Déjà les Cyanées se précipitaient l'une vers l'autre, soulevant une énorme lame au sommet de laquelle oscillait l'Argo.

Les rameurs firent un effort désespéré et le bateau glissa de la vague. Ils étaient sauvés : derrière eux retentit un bruit effrayant. Dans l'épouvantable collision, seul leur gouvernail perdit son ornement.

Une mer tranquille s'étendait à nouveau devant eux. Ils poussèrent tous un soupir de soulagement, conscients d'avoir retrouvé la vie à deux pas des grilles du royaume des morts.

Mais avant d'atteindre la Colchide, ils rencontrèrent des compagnons inattendus. Quatre jeunes gens vêtus de haillons les appelaient de la plage d'une petite île abandonnée. Les Argonautes s'approchèrent et Jason débarqua, suivi de quelques hommes.

« Braves gens, aidez-nous ! » cria un des loqueteux, « nous avons fait naufrage et les vagues nous ont rejetés sur cet îlot désolé. »

« Soit », répondit le héros, « mais qui êtes-vous et où devons-nous vous mener ? »

« Vous avez sûrement entendu parler de Phrixos, qui arriva en Colchide sur le bélier d'or. Le roi Aiétès lui donna pour femme Chalciope sa fille. Nous sommes les fils de Chalciope et de Phrixos. Notre père est mort et notre mère vit chez le roi Aiétès. Nous sommes partis en mer, la tempête nous a surpris et a fracassé notre bateau. »

Leurs ancêtres étant communs, Jason se réjouit vivement de pouvoir aider ses parents dans l'embarras. Il les invita à bord de l'Argo puisqu'ils allaient tous au même endroit, et il leur expliqua qu'il allait chercher la Toison d'or.

Les fils de Phrixos s'effrayèrent et tentèrent de dissuader les héros grecs de donner suite à leur projet.

« Aiétès est cruel », dirent-ils. « Il est aussi très puissant. Il gouverne un grand peuple et ne voudra pas livrer son trésor. »

Mais les vaillants navigateurs ne se découragèrent pas : ils savaient déjà que la tâche serait difficile et ils étaient résolus, en cas de refus du roi, à obtenir par la force l'objet de leur convoitise. Les fils de Phrixos furent vêtus de neuf, et ils voguèrent en compagnie des héros vers les côtes de Colchide. Nuit et jour les rames fendaient la mer.

Alors qu'ils étaient sur le point d'atteindre le but de leur voyage, ils entendirent soudain au-dessus de leurs têtes le battement d'ailes gigantesques. C'était l'aigle qui volait vers le Caucase pour se repaître du foie de Prométhée. L'air était tellement agité que les voiles se gonflèrent et que le bateau fila de plus belle. Bientôt, les Argonautes entendirent les gémissements de la victime enchaînée. Lorsque l'aigle revint, les soupirs s'arrêtèrent. Le soleil fut un moment caché par l'ombre de l'oiseau qui survola le bateau et disparut à l'horizon.

Vers le soir la côte fut en vue. Les tours du palais se détachaient sur le ciel rougi par la lueur du soleil couchant. Fatigués par leur voyage, les héros jetèrent l'ancre et s'endormirent.

Le lendemain, dès qu'Hélios fut monté dans son char d'or, Jason rassembla ses hommes pour les consulter. Ils décidèrent qu'il irait d'abord voir Aiétès, accompagné de deux hommes et des fils de Phrixos, pour essayer de convaincre amicalement le roi.

Sitôt dit, sitôt fait. Ils débarquèrent, allèrent en ville jusqu'au palais royal. Dans la cour, ils virent les quatre fontaines merveilleuses qui répandaient des flots de lait, de vin, d'huile et d'eau. Ce prodige les stupéfia, tout comme il avait stupéfié Phrixos bien des années auparavant.

Les arrivants rencontrèrent d'abord Médée, la fille cadette du roi, qui poussa un cri de surprise. À son appel accourut Chalciope qui ouvrit les bras à ses fils et les embrassa joyeusement. Aiétès sortit aussi pour accueillir les visiteurs et leur offrir l'hospitalité. Médée les suivait comme une ombre et ne pouvait quitter Jason des yeux : au premier regard, elle était tombée amoureuse du beau jeune homme au visage de dieu et parvenait à peine à cacher son émoi. Pourtant personne ne le remarqua, tant le palais était agité. Les serviteurs apportaient des plats sur les tables, pendant que les héros buvaient et mangeaient. Durant le repas, les rescapés racontèrent leurs malheurs à leur grand-père, ainsi que la façon dont ils avaient été sauvés. Lorsqu'ils eurent fini, le roi leur demanda à voix basse qui étaient ces étrangers. L'un des frères lui murmura :

« Ils sont grecs, c'est Jason qui les conduit. Ils sont venus en Colchide pour que vous leur donniez la Toison d'or de notre père Phrixos. Un usurpateur s'est emparé du trône de Jason et ne le lui rendra que lorsqu'il sera en possession de votre trésor. Il espérait que Jason périrait au cours du voyage, ou que vous le tueriez. Les héros les plus braves

l'accompagnent. Leur navire a jeté l'ancre devant notre côte. »

À ces mots, Aiétès rougit de colère et s'exclama :

« Vous pouvez remercier les dieux que je vous aie déjà acceptés sous mon toit comme des invités, sinon je vous aurais déjà fait mettre à mort. Vous venez réclamer la Toison, prétendez-vous, mais en réalité vous convoitez le trône de Colchide. Je n'avais pas encore compris que j'étais assis à côté de tels gredins. »

Les Grecs se levèrent, prêts à répondre sur le même ton abrupt. Mais leur chef les calma et répondit tranquillement :

« Pardonne-nous, ô roi. Nous ne sommes pas venus chez toi en voleurs, nous avons obéi aux ordres de notre souverain. Si tu nous donnes ce que nous voulons, nous sommes prêts à te prouver notre gratitude. En cas de guerre nous serons tes alliés, et si tu as besoin d'hommes forts et de glaives acérés, nous t'offrons nos bras et nos armes. »

Aiétès, le front soucieux, écouta la déclaration de Jason tout en se demandant comment il pourrait se débarrasser de ces gêneurs.

Il retrouva son sang-froid et dit :

« Pourquoi tant de paroles ? Si vous êtes des héros aussi braves que vous le prétendez, vous pouvez emporter la Toison d'or ; j'aime la

bravoure. Mais il faudra d'abord que vous la prouviez. J'ai deux taureaux aux sabots d'airain et dont les narines crachent le feu. Ils ont l'habitude de labourer mes champs. Dans les sillons je plante des dents de dragon dont jaillissent ensuite des guerriers. Je me bats avec eux. Le matin, je prépare la terre, et le soir je me repose après mon combat victorieux. Si tu peux faire aussi bien que moi, Jason, tu regagneras ta patrie avec le trésor. »

« Je n'ai pas le choix », répondit Jason, « je sais que l'épreuve que tu m'imposes est périlleuse, mais je ne peux pas rentrer chez moi sans la Toison. »

« Comme tu voudras », dit le roi, « mais il serait plus sage pour toi de renoncer à cette tâche et de quitter notre pays. »

Jason se leva de table et sortit du palais. Il alla raconter aux Argonautes l'accueil du roi et les conditions qu'il avait posées.

À une fenêtre du château, un visage voilé se profilait. Le regard de Médée suivit Jason jusqu'à ce qu'il ait disparu entre les vieux arbres du parc royal.

Dans sa solitude, elle se mit à pleurer : elle avait pitié du jeune héros et se demandait si elle pouvait l'aider contre son père ou si elle devait l'abandonner à son destin.

Pendant ce temps, Aiétès avait appelé en consultation le conseil des sages de Colchide. Ils discutèrent sur la façon d'exterminer les étrangers et décidèrent que, dès que les taureaux auraient tué Jason, des hommes iraient mettre le feu au navire. Ceux qui ne seraient pas brûlés sur le bateau seraient massacrés sur la plage.

Inquiets sur le sort de leurs sauveteurs, les fils de Phrixos allèrent trouver leur mère Chalciope. Ils la supplièrent d'intercéder auprès de Médée, car elle seule pouvait aider le jeune héros : elle connaissait la magie capable d'empêcher un homme d'être blessé par le feu ou par les armes. La mère ne put résister aux supplications de ses fils et promit de parler à sa sœur.

Cette nuit-là, Médée fit un mauvais rêve : elle rêva qu'elle avait triomphé des taureaux et était victorieuse dans le combat contre les guerriers nés des dents de dragon. Mais Aiétès ne voulait pas donner la Toison à Jason, car il ne l'avait pas gagnée lui-même. Ils se querellèrent et Médée donna raison à Jason contre son père. Aiétès poussa un cri de souffrance et le songe prit fin.

Horrifiée, elle courut chez sa sœur. La crainte d'un malheur avait réuni les deux femmes. L'une craignait pour Jason, l'autre pour ses fils. Le roi

haïssait les enfants de Phrixos, qu'il croyait alliés aux Grecs contre lui. Si un châtiment devait frapper les étrangers, il n'épargnerait pas les quatre frères.

« Aide-les par quelque sorcellerie », pria Chalciope, « afin que Jason gagne cette terrible bataille : sa victoire sauvera ma famille. »

La plaidoirie de sa sœur ne fit que confirmer Médée dans son secret dessein d'aider celui qu'elle aimait.

C'est ainsi que s'accomplit la prophétie de Phinée disant que la déesse de l'amour, Aphrodite, aiderait les héros.

« Ne crains rien », répondit-elle, « ta vie et celle de tes fils me sont aussi précieuses que la mienne. J'aiderai les étrangers. »

La nuit tomba des montagnes du Caucase ; les Argonautes s'endormirent et seul leur chef resta éveillé. Il se promenait sur la plage en songeant au combat. Soudain, il entendit dans l'obscurité un bruit de pas. Prudemment, il se saisit de son épée. Dans la faible lumière tombant des étoiles les silhouettes des fils de Phrixos se dessinèrent. Ils lui apportaient de bonnes nouvelles de la part de leur mère Chalciope : demain, au lever du jour, Médée attendrait Jason dans un temple situé un peu à l'écart, pour lui remettre un onguent magique.

Celle-ci passa une nuit agitée : « Est-il bien que je me dispose à aider un étranger contre mon propre père ? Ne vais-je pas encourir la malédiction de tout mon pays ? » Son courage revint avec l'aube. Elle dissimula sous ses vêtements une coupe d'huile merveilleuse, et se hâta vers le lieu du rendez-vous.

Lorsqu'elle aperçut la sombre silhouette du héros dans la faible lumière du matin, elle eut un mouvement de recul.

« Pourquoi as-tu peur de moi ? » dit-il avec douceur. « Ne crains rien, je suis venu chercher l'aide que tu m'as promise et je ne sais vraiment pas comment te remercier. »

Médée sourit timidement en lui tendant son présent et ils restèrent silencieux jusqu'à ce qu'elle se décidât à parler :

« Jason », dit-elle, « il y a un onguent dans cette coupe. Mets-en sur tout ton corps et ni le feu ni les armes ne pourront t'atteindre. Il recèle la force qui te rendra aussi courageux qu'un dieu immortel. Cet effet ne durera qu'un seul jour, puis il disparaîtra. Aussi ne dois-tu pas remettre le combat. Je vais te donner un ultime conseil : après que les dents de dragon auront donné naissance aux guerriers, jette au milieu d'eux une lourde pierre. Ils se précipiteront dessus comme des

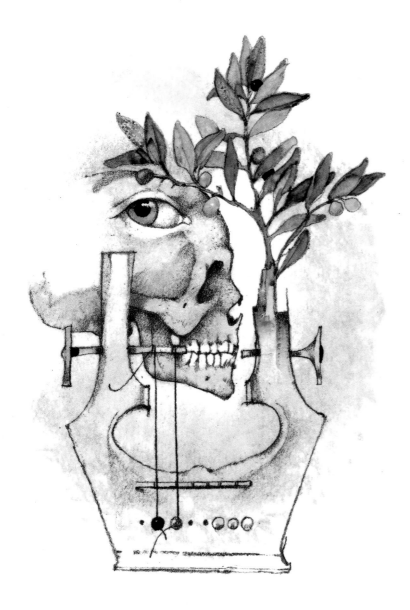

je serai heureuse de penser à toi. »

« Jamais je ne t'oublierai », répondit le jeune homme, « et si tu veux quitter la Colchide et me suivre dans ma patrie, tous chez moi t'adoreront comme une déesse et rien sauf la mort ne pourra nous séparer. »

Les paroles de Jason causèrent une grande joie à celle qui rêvait de quitter la Colchide et de s'embarquer pour la Grèce en compagnie du héros. Ce fut à contrecœur qu'elle se sépara de lui, mais, déjà, le soleil brillait dans le ciel.

Coiffé d'un casque d'or, portant un lourd bouclier, le roi Aiétès se rendait à l'endroit convenu, suivi d'une grande foule curieuse de voir son intrépide adversaire.

Pendant ce temps le héros se baignait et massait son corps avec l'onguent magique. Ses bras devenaient d'une force surhumaine, et sa poitrine se gonflait d'un immense courage. Il était impatient de commencer l'épreuve.

Jason se fit débarquer par les Argonautes devant le champ en bordure duquel se pressaient les spectateurs. Il sauta du bateau, une épée à la main, et ce fut le silence. Soudain, deux gigantesques taureaux s'échappèrent d'une caverne souterraine. Leurs sabots d'airain fouillaient le sol et leurs narines crachaient des flammes et de

chiens sur un morceau de viande. Ton épée aura alors une tâche facile. Tu obtiendras la Toison et pourras alors quitter la Colchide. »

Tandis qu'elle parlait, des larmes ruisselaient le long de ses joues.

« Dans ton pays, au loin, souviens-toi de Médée. Moi aussi

la fumée. Tête baissée, ils se précipitèrent sur l'homme. Mais celui-ci, le bouclier levé, parait leurs attaques comme s'il était planté en terre. De plus, protégé par l'onguent magique, il restait insensible au feu. Les Grecs, anxieux, retenaient leur respiration. Tout à coup il rejeta ses armes, attrapa par les cornes les animaux déchaînés, et, avec une force inouïe, posa le joug sur eux. Attelés à la charrue, ils refusaient de bouger. Le héros saisit alors sa lance et, les en menaçant, les força à labourer.

La terre craqua et de profonds sillons s'ouvrirent dans le champ. Lorsqu'ils eurent fini leur travail, les taureaux furent détachés et ils regagnèrent leur caverne. Un esclave apporta en courant un casque rempli de dents de dragon. Le jeune homme les planta, puis il rejoignit ses amis pour se reposer, apaiser une soif cruelle et reprendre des forces avec un solide repas. Les guerriers commençaient déjà à poindre, comme le blé vert au printemps. Mais, au lieu de tiges, c'étaient des lances, des glaives, des boucliers, des casques, des visages de pierre et des bras musclés qui apparaissaient. Le champ se remplit d'hommes armés.

Protégé par son bouclier, Jason lança à toute volée une pierre au milieu de la troupe hostile. Instantanément, tous s'entassèrent autour et se mirent à se battre. Lorsque le combat fut à son paroxysme, Jason se précipita et faucha les guerriers comme de l'herbe haute. Bientôt les sillons se remplirent de cadavres. Seul un homme se tenait droit au milieu du champ, et cet homme, c'était Jason. La sueur coulait de son front, mais ses yeux brillaient : il était victorieux.

Fort en colère, le roi Aiétès rentra chez lui sans dire un mot. Il était sûr que Médée avait aidé le jeune homme et projetait de la punir sévèrement pour cette folie. Il convoqua en toute hâte l'assemblée des sages pour décider du sort des Argonautes.

Pendant ce temps, la nuit avait succédé au jour. La délibération secrète se prolongeait. Quant à Médée, elle arpentait sa chambre, l'anxiété au cœur. Elle soupçonnait son père de préparer un piège aux étrangers. Finalement, après avoir ouvert les grilles du palais par une formule magique, elle s'enfuit sans être vue. Sur la plage, les navigateurs célébraient autour d'un feu la victoire de leur chef. La lumière permit à la jeune fille de les trouver.

« Sauvez-vous ! Sauvez-moi aussi ! » s'écria-t-elle, « mon père s'apprête à vous exterminer. J'obtiendrai pour toi la Toison d'or, Jason. Promets-moi seulement que tu ne me quitteras jamais. »

« Les dieux en sont témoins », répondit celui-ci ; « je te ramènerai dans ma patrie et tu seras mon épouse. »

Médée monta à bord du bateau qui dériva jusqu'en face du taillis où se trouvait le trésor, suspendu à un vieux chêne. La lumière qu'il répandait rejaillissait sur le sommet des arbres avec un éclat comparable à celui de la lune.

Médée et Jason débarquèrent promptement. Le dragon entendit leurs pas et toutes les feuilles du bosquet tremblèrent lorsqu'il se mit à siffler. La magicienne s'approcha de lui en le berçant de ses chants.

Elle toucha sa tête avec une herbe ensorcelée. De la tige tombèrent quelques gouttes d'un liquide narcotique. La bête ferma ses yeux, puis ses mâchoires, et enfin s'endormit pour la première fois depuis de nombreuses années. Alors Médée fit un signe à son compagnon qui alla décrocher la peau du bélier. Ils la rapportèrent joyeusement sur le bateau où leurs compagnons leur firent un accueil triomphal. La Toison les laissa songeurs ; chacun voulut la toucher. Mais comme il était imprudent de s'attarder, ils tirèrent sur les rames et gagnèrent la pleine mer.

Aiétès découvrit bientôt le vol commis par les Grecs ainsi que l'absence de Médée. Il se hâta vers le rivage, accompagné de son fils Absyrtos et d'une foule de Colchidiens, mais ils arrivèrent juste à temps pour voir s'éloigner le sommet du mât et un morceau de voile, qui disparurent à l'horizon.

Fou de rage, le roi ordonna à ses guerriers de s'embarquer sur les bateaux les plus rapides, sous le commandement de son fils Absyrtos.

La flotte royale partit à la poursuite des Argonautes à la vitesse du vent. Elle parvint à les dépasser et leur barra le chemin. Médée fut priée de descendre à terre, sur l'île de la déesse Artémis dont le souverain

devait servir d'arbitre pout savoir si elle devait retourner chez son père ou poursuivre sa route.

La jeune fille se lamenta sur son sort lorsqu'elle sut qu'un roi inconnu serait son juge. Elle avait peur que les Grecs l'abandonnent.

« Je ne te laisserai pas ici », dit Jason, « mais sans quelque ruse nous ne pouvons échapper à ce piège. Tous les peuples de cette côte sont les alliés du roi de Colchide et ils ne nous permettront pas de nous enfuir. Si nous pouvions supprimer le commandant de la flotte, Absyrtos, celle-ci ayant perdu son chef serait désemparée et nous aurions une chance de nous sauver. »

Médée dut se décider :

« Je ne peux revenir en arrière », pleura-t-elle, « je dois achever mon œuvre destructrice. Je pense que la trahison que j'ai commise et celle dont je vais maintenant me rendre coupable retomberont un jour sur ma tête, mais maintenant je ne puis reculer. J'arrangerai un rendez-vous secret avec mon frère et te le livrerai. »

Médée tint parole : elle fit savoir à Absyrtos qu'elle désirait le rencontrer de nuit sur l'île d'Artémis afin d'élaborer un plan pour reprendre la Toison d'or. Celui-ci ne soupçonna pas le piège. Il débarqua sur l'île, accompagné d'une escorte peu nombreuse.

Pendant qu'il parlait à sa sœur, Jason jaillit d'un buisson proche, un glaive à la main. Médée poussa un cri et se détourna. Absyrtos tué, les Argonautes entourèrent ses compagnons et les massacrèrent.

Avant que la flotte venue de Colchide se ressaisisse, ses ennemis avaient gagné le large. Craignant la colère d'Aiétès, les soldats ne retournèrent pas en Colchide et s'établirent là où ils avaient jeté l'ancre.

Sur le chemin du retour, poussés par le désir de retrouver leur patrie, les Grecs ramèrent avec une force accrue. Cette fois-ci, ils passèrent sans incident au milieu des Cyanées : depuis leur premier passage, les rochers n'avaient plus bougé et étaient restés au même endroit.

C'est devant l'île des Sirènes que les navigateurs faillirent périr. Ces nymphes aux voix magnifiques étaient assises sur les rochers près de la côte et, aussitôt qu'elles voyaient un navire, elles se mettaient à chanter avec tant de charme que les rameurs et celui qui tenait le gouvernail ne pouvaient s'empêcher de s'approcher d'elles. Or sous l'eau étaient cachés des récifs pointus sur lesquels plus d'un navire était venu s'abîmer. Orphée pressentit le danger : saisissant sa lyre, il se mit à chanter jusqu'à ce que son chant couvre celui

des Sirènes. L'homme de barre remit le vaisseau dans le droit chemin, et ils furent sauvés. Après cet incident, aucune embûche ne se dressa plus devant eux. Ils subirent avec courage les tempêtes, le soleil, la faim et la soif. La déesse Héra ne les abandonna pas.

Après cette longue et difficile traversée, ils aperçurent enfin leur pays. Ayant jeté l'ancre, ils envoyèrent à la ville un messager rapide pour dire à Pélias que Jason était rentré de son périple avec la Toison. Dès qu'il eut connaissance de cette nouvelle, le roi ordonna que fussent fermées les portes de la cité et que des soldats fussent placés sur les remparts.

« Je t'ai aidé à obtenir la peau du bélier, je t'aiderai maintenant à reprendre le trône qui te revient », dit Médée au héros. Et, murmurant une formule magique, elle reparut sous l'aspect d'une petite vieille qui portait un panier. Grâce à un enchantement, elle se retrouva immédiatement au milieu de la ville. Elle alla droit au palais royal, et dans la cour elle se mit à vanter les huiles rares, les pommades et les aromates qu'elle avait à vendre.

Les filles du roi, dont la curiosité avait été attirée par le manège de la fausse marchande, ordonnèrent à une servante de la leur amener. Dès qu'elle fut introduite, les sœurs se

mirent à fouiller dans sa corbeille, encouragée par Médée qui entreprit de les flatter :

« Comme il est triste que vous soyez si jeunes et si belles ! Je connais une extraordinaire potion qui rend la jeunesse…, mais vous êtes aussi fraîches que des étoiles nouvelles. »

« Au moins montre-la-nous », demandèrent les curieuses.

« Faites amener un vieux bélier et je serai heureuse de montrer mes dons », répondit la vieille.

Peu de temps après, on lui amenait l'animal le plus âgé de tout le troupeau royal. Elle fit remplir d'eau une bassine de cuivre sous laquelle elle alluma un feu. Puis elle jeta dans le liquide bouillant une poignée d'herbes puisées dans son panier. Une odeur indéfinissable emplit la pièce.

Aidée par les filles du roi, Médée jeta le bélier dans le récipient. Bientôt un joli petit agneau blanc en sortit en bêlant.

« Quelle puissante magie ! » s'écrièrent les princesses émerveillées, et elles allèrent chercher leur père.

Celui-ci, d'abord, ne voulut pas croire à leur histoire. Mais lorsque la vieille femme eut recommencé l'expérience, il fut frappé de stupeur.

« Je vais te demander », lui dit-il, « d'essayer ton pouvoir sur moi. Je suis déjà vieux et si je redeviens jeune, jamais Jason n'aura mon trône. Rends-moi aussi très fort afin que je puisse me battre avec lui. »

Dans son impatience, le roi Pélias sauta de lui-même dans le liquide bouillant et mourut dans un hurlement.

Épouvantées, ses filles cherchèrent la vieille, mais elle avait disparu. Elle était en train d'annoncer dans toute la ville la mort du souverain, ce qui réjouissait fort la population.

On n'avait jamais aimé ce roi cruel. Aussi accueillit-on avec joie le retour des Argonautes.

Dans son nouveau pays, Médée ne découvrit ni le bonheur ni la paix. Jason la répudia pour épouser la fille du roi de Corinthe. Ainsi s'accomplit le pressentiment de Médée, fille malheureuse du roi de Colchide, que ni le crime ni la trahison n'aideraient à trouver le bonheur sur terre.

Folle de chagrin, elle égorgea ses enfants et empoisonna sa rivale. Quand après cet acte monstrueux Jason se mit à la recherche de Médée, il ne put la trouver. Désespéré, il sortit du palais. Un bruit étrange se faisait entendre au-dessus de sa tête. Levant les yeux, il vit dans le ciel un char tiré par des dragons. La jeune sorcière les conduisait, sa superbe chevelure flottant au vent. Personne depuis lors n'entendit parler d'elle.

THÉSÉE

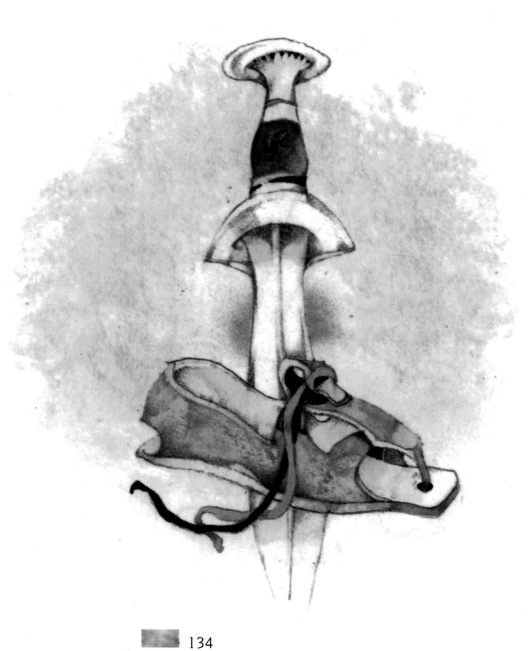

Égée, fils du roi d'Athènes, partit un jour à la découverte du monde et resta absent de longues années. Quand Athènes fut menacée par la guerre, le vieux souverain envoya des messagers à la recherche du prince.

Ceux-ci, ayant entendu parler des nombreuses actions glorieuses qu'il avait accomplies, allèrent le trouver dans le pays d'un roi étranger dont il avait épousé la fille. Le jeune couple venait justement d'avoir un enfant. Le nouveau-né se prénommait Thésée.

Le prince reçut chaleureusement les émissaires, organisa une fête en leur honneur puis leur demanda pourquoi ils étaient venus.

« Égée », dirent-ils, « Athènes, ta patrie, est en danger. Ton père est vieux maintenant, il ne peut plus combattre. Aussi souhaite-t-il que tu viennes mener les Athéniens à la victoire. »

Cette nouvelle remplit le jeune homme de tristesse, mais il ne pouvait méconnaître son devoir. Avant de s'embarquer à bord du bâtiment qui devait l'emmener, il souleva un lourd rocher sur la plage et cacha dessous son glaive et ses sandales. Puis il dit à sa femme :

« Je ne sais combien de temps la guerre me retiendra à Athènes ni quand nous reviendrons. Si je ne reviens pas avant que Thésée soit devenu grand, amène-le à ce rocher ;

s'il a assez de force pour le soulever et prendre ce que j'y ai déposé, dis-lui de venir me rejoindre. »

Égée fit ses adieux à son épouse et à son fils, et bientôt la voile blanche disparut à l'horizon.

Les jours, puis les années passèrent. Thésée grandit en force et en esprit, si bien qu'un beau matin sa mère put l'emmener au rocher sous lequel se trouvaient les objets laissés par son père.

« Si tu arrives à le soulever », dit-elle, « je serai fière d'avoir un garçon aussi fort, mais je serai accablée de tristesse car il nous faudra nous séparer. »

Enfonçant ses talons dans le sable, Thésée saisit la pierre et l'éleva lentement. Puis il mit les sandales, attacha le glaive à sa ceinture et retourna au palais avec sa mère pour préparer le voyage : il allait rejoindre son père, qui était devenu roi d'Athènes.

La princesse essaya de le convaincre de s'y rendre par la mer, car la route des montagnes était dangereuse, infestée de voleurs et de bêtes voraces. Mais Thésée ne l'écouta pas :

« Que dirait mon père s'il savait que je choisis le chemin le plus facile ? »

Il était impatient d'accomplir des exploits comme Héraclès. Aussi partit-il seul et à pied.

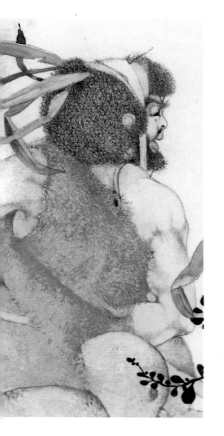

La route traversait les montagnes, les rochers et les forêts épaisses. À un détour de la forêt, caché dans un sous-bois, le guettait un brigand redoutable qui menaçait les voyageurs d'une massue d'airain. Soudain, il surgit de son abri.

« Tu arrives juste au bon moment ! » lui cria Thésée. « Ton gourdin me sera très utile pour débarrasser la contrée des rapaces tels que toi. »

Comme il disait ces mots, il s'élança en brandissant son épée, évita le coup qui lui était destiné, tua le bandit et s'empara de sa massue.

Il rencontra d'autres voleurs dans les immenses forêts et les plaines gigantesques, et il les massacra tous. Lorsque le glaive était impuissant, il utilisait la massue, comme Héraclès. Ce fut un grand soulagement pour tous les voyageurs, qui purent désormais suivre leur route sans péril.

Pourtant Thésée n'avait pas encore fait la pire de ses rencontres. Le dernier bandit de grand chemin avant Athènes était le géant Procuste. Celui-là ne hurlait pas, une épée à la main, il n'attaquait pas les paisibles voyageurs ; bien au contraire, il les invitait aimablement dans sa maison.

Il sourit à Thésée comme à ses précédentes victimes et l'invita à venir se reposer chez lui des fatigues de son long voyage. Après l'avoir fait asseoir, il lui offrit à manger et à boire.

Le repas achevé, Procuste lui proposa de dormir :

« Tu es fatigué, viens, un lit t'attend. »

Or il avait deux lits, un petit et un grand. Il offrait aux voyageurs celui dont la taille ne leur convenait pas : les grands étaient mis dans le petit, les petits dans le grand. Et suivant le cas il raccourcissait les membres qui dépassaient avec une hache ou bien étirait ceux qui ne remplissaient pas toute la couche. Et il torturait ainsi les voyageurs jusqu'à ce qu'ils expirent.

Il espérait donc réduire Thésée, qui était de belle taille, aux dimensions du petit lit. Mais celui-ci, ayant compris le danger qui le guettait, décida de battre le géant sur son propre terrain : il le poussa sur la couche qui lui était destinée et lui trancha la tête avec son glaive.

Aucun autre danger ne le menaça plus sur la route et bientôt il franchit les portes d'Athènes. Il se promena dans les rues en regardant les belles maisons. Les gens qu'il rencontrait regardaient sa silhouette poussiéreuse, sa figure hâlée et ses cheveux trop longs. Son énorme massue les laissait songeurs. Seuls, les maçons qui réparaient le temple d'Apollon se mirent à se moquer de lui. Thésée ne leur répondit pas. Sans dire un seul mot, il détacha les bœufs d'un chariot qui stationnait devant l'édifice, saisit le véhicule et le projeta sur les rieurs. Tous ceux qui le virent furent stupéfaits et se turent.

Devant le palais régnait une intense agitation. Les gens, très excités, discutaient entre eux et murmuraient contre le roi Égée. C'était le jour où les Athéniens devaient à nouveau envoyer sept jeunes gens et sept jeunes filles au Minotaure, le monstre de Crète. Tel était en effet le terrible tribut que la cité devait acquitter au cruel souverain de l'île ennemie.

Un jour, des jeux fameux s'étaient déroulés à Athènes. Minos, le roi de Crète, y avait envoyé son fils. Or celui-ci vainquit tous les Athéniens et fut ainsi amené à provoquer Égée.

Perfidement, Égée fit mettre à mort le jeune homme. Une guerre cruelle éclata entre les deux pays. Minos envahit les côtes athéniennes grâce à sa puissante flotte, dévasta toute la région et soumit les Athéniens. Depuis lors, ceux-ci durent tous les neuf ans envoyer en Crète sept jeunes gens et sept jeunes filles qui étaient enfermés dans le labyrinthe pour être dévorés par le monstrueux Minotaure.

Le peuple commençait à se rebeller contre son roi, coupable à ses yeux de n'avoir pas résisté davantage à une aussi épouvantable exigence.

« Pourquoi aurait-il résisté ? » disaient ceux qui fomentaient les troubles. « Cela lui importe peu. Ce sont nos enfants qui périssent,

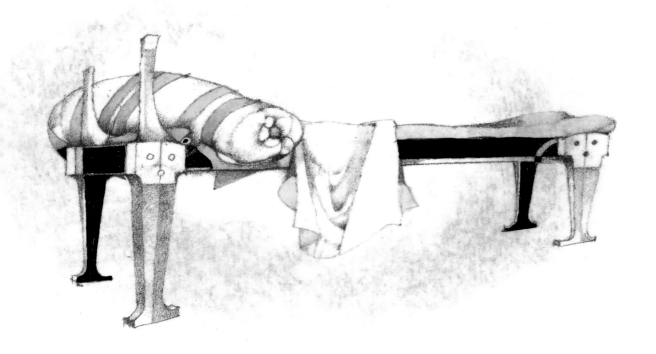

pas les siens. Il ne peut comprendre nos souffrances puisqu'il n'a pas de descendance. »

Mais, bien que fort mécontents, ils tiraient déjà au sort pour désigner ceux qui devraient partir. Bientôt, ceux qui avaient échappé au danger s'éloignèrent, quant aux autres, ils se mirent à se lamenter bruyamment.

Thésée traversa la foule agitée et entendit tout ce qui se disait. Il pénétra dans le palais et se fit annoncer au roi comme un simple voyageur et non comme son fils. Égée ne le reconnut pas.

« Tu nous rends visite en un bien triste jour, étranger », dit-il en accueillant son visiteur. « Tu dois venir de loin et ne rien savoir de notre malheur. Sinon, tu aurais évité de venir à Athènes. »

« Il est vrai que je viens de loin, ô roi », répondit Thésée, « mais je connais ton malheur et aimerais t'aider. Je veux accompagner les victimes dans l'antre du Minotaure. Promets-moi d'exaucer ce vœu. »

Égée regarda le jeune homme avec stupéfaction :

« Tu veux, de ton propre désir, aller dans l'antre du Minotaure. Et qui es-tu pour ne pas hésiter à sacrifier ta vie ? »

« C'est le Minotaure qui sera tué, pas moi », répondit Thésée avec audace. « Donne-moi ta parole d'accomplir ma volonté et je te dirai qui je suis. »

Égée, comme dans un rêve, acquiesça. Le héros montra alors au roi ses sandales et son glaive. Les yeux du monarque s'emplirent de larmes tandis qu'il lui tendait les bras :

« À peine ai-je retrouvé mon fils », lamenta-t-il, « que je dois le perdre ! »

Mais il ne pouvait revenir sur la promesse qu'il venait de faire.

Déjà, dans Athènes tout entière, la nouvelle circulait à la vitesse d'une rafale de vent entre les branches d'un arbre : le fils du roi était soudain apparu et il allait tuer le Minotaure. Personne ne parlait plus d'autre chose.

Une grande foule accompagna les jeunes gens au port. Les femmes embrassaient le glaive de Thésée, les hommes le louaient avec enthousiasme. Égée, le cœur lourd, lui fit ses adieux.

« Je suis déjà vieux », dit-il à son fils, « et impatient comme un enfant. C'est pourquoi j'ai fait mettre au fond du navire une voile blanche. Vous partirez comme toujours avec une voile noire, mais si tu parviens à tuer le monstre, hisse la voile blanche au retour. Comme cela, je saurai de loin si je puis me réjouir de ta victoire. »

L'embarcation quitta le port, le roi et son peuple s'en retournèrent dans la ville. L'espoir était né, et il adoucissait la douleur de la séparation.

Sur le rivage de la Crète, Minos et ses courtisans attendaient déjà. Le bateau à la voile noire aborda et les jeunes gens accompagnés de Thésée débarquèrent. Le jeune prince se distinguait nettement par sa stature et sa fière démarche. Minos ne manqua pas de le remarquer.

Le héros regarda le roi droit dans les yeux et lui dit :

« Ne crois pas que je suis venu pour servir de repas au Minotaure. Bien au contraire, je suis venu pour le tuer et délivrer mon pays de l'horrible tribut qu'il te paye. »

Le roi eut un demi-sourire :

« Si tu es aussi courageux en actes qu'en paroles, tu peux réussir. Si tu tues la bête, je vous donnerai à tous la liberté et Athènes sera délivrée de son impôt. »

Ariane, la fille du roi, qui se tenait auprès de lui, écouta cette conversation avec émerveillement. Elle ne pouvait détacher son regard de ce beau jeune homme. Son image demeura en elle lorsqu'il fut parti. Elle se mit à le plaindre, sachant que sans son concours il n'échapperait pas à la mort.

Son désir de sauver Thésée fut le plus fort. La nuit venue, elle se leva en cachette, traversa le palais et se

rendit à la prison où étaient enfermés les jeunes gens. Ils dormaient tous d'un sommeil agité, sauf Thésée, qui était éveillé. Ariane ouvrit le cadenas secret et l'appela doucement. Le héros avait espéré une aide divine, et voici qu'elle venait sous la forme d'une ravissante jeune fille.

« Je sais que tu veux tuer le Minotaure », lui murmura-t-elle vivement, « mais tu auras du mal à le vaincre seul. Je t'ai apporté un écheveau de fil. Dès que tu seras entré dans le labyrinthe, attaches-en une extrémité à un pilier et défais-le tout au long du chemin. Tu ne pourrais pas tuer le monstre avec une arme ordinaire : voici un glaive magique. Si tu es victorieux, tu pourras retrouver ta route grâce au fil que tu auras dévidé. »

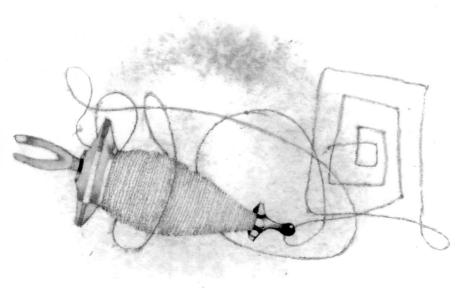

Thésée voulut remercier la princesse, mais Ariane avait déjà disparu dans l'obscurité de la nuit. Si elle ne lui avait pas laissé l'écheveau et l'épée, il eût douté de sa présence et aurait cru avoir rêvé.

Le lendemain matin les gardes ouvrirent les portes de la prison et emmenèrent les futures victimes au labyrinthe. Les garçons baissaient la tête, les filles pleuraient. Seul le héros marchait la tête haute, encourageant ses compagnons. Il avait caché sous ses vêtements les présents d'Ariane.

Ils pénétrèrent dans le sinistre ensemble de passages sinueux et de sombres cavernes. Thésée ordonna à ses compatriotes de rester près de la sortie, et quant à lui il partit à la recherche du Minotaure. Obéissant aux consignes qui lui avaient été données, il attacha le fil au premier pilier et se mit à le dérouler au fur et à mesure qu'il avançait. L'imposante construction de Dédale demeurait aussi silencieuse qu'un tombeau. Le jeune homme se frayait un chemin dans les sentiers obscurs, tandis que des chauves-souris affolées lui cognaient la tête de leurs ailes. Il traversa des pièces où les murs avaient craqué sous la chaleur du soleil, et pénétra dans des grottes sentant la pourriture et le moisi. Tout était silencieux. Seules quelques

ciel. Les piliers du couloir se mirent à trembler comme si une tempête s'y était déchaînée.

À un tournant, Thésée aperçut le Minotaure. Il piétinait un amas d'os blanchis en secouant sa monstrueuse tête de taureau. Son corps était celui d'un homme, mais gigantesque. Des flammes vertes et jaunes s'échappaient de ses naseaux et il exhalait un souffle empoisonné. Il tendit ses bras velus pour écraser le héros. Mais celui-ci, d'un bond, se mit hors d'atteinte, obligeant l'ignoble créature à se retourner pesamment. Alors thésée prit son élan et enfonça son arme droit dans le cœur du Minotaure.

La terre trembla tandis que le monstre tombait et s'enfonçait dans le sol. L'écho de sa chute résonna dans tous les sentiers, les grottes et les couloirs. Ceux qui avaient accompagné le jeune homme dans le labyrinthe furent saisis de panique en entendant ce fracas :

« Le Minotaure a attaqué Thésée et l'a tué », dirent-ils avec désespoir. Et, accablés de chagrin, ils attendirent leur tour.

Pendant ce temps, en suivant le fil d'Ariane, Thésée retrouvait son chemin. Il rejoignit bientôt ses compagnons. Tous voulurent l'embrasser et lui témoigner leur reconnaissance. Soudain la princesse

souris se hâtaient vers leur trou en se sauvant sur son passage, tandis qu'une araignée abandonnait la toile qu'elle tissait. Thésée épongea la sueur de son front et s'engagea dans un long couloir.

Les rayons de soleil l'éclairèrent un moment, lui permettant d'apercevoir des taches de sang séchées. Soudain éclata un rugissement aussi fort que le tonnerre. Le héros se saisit de son glaive magique et s'approcha de l'endroit d'où venait le bruit. Le fracas s'amplifia, devint semblable au grondement de la mer démontée et au claquement de la foudre dans le

surgit devant eux comme si elle était sortie de terre.

« Suivez-moi vite », s'écria-t-elle, « mon père a découvert que je vous avais aidés. Il est furieux et ne veut pas tenir sa promesse. Avant qu'il ne lance ses gardes à notre poursuite, nous devons embarquer à bord de votre bateau. »

Aussitôt ils se mirent tous à courir derrière Ariane, qui les fit sortir du labyrinthe par un chemin qu'elle seule connaissait et qui menait droit à la mer. Avant que le roi Minos ait compris ce qui se passait, le bateau était si loin qu'il ne pouvait être question de le poursuivre.

Ils naviguèrent sans escale jusqu'à l'île de Naxos où ils abordèrent pour se nourrir, chercher de l'eau potable et se reposer. Ariane s'endormit et eut un songe : le dieu Dionysos lui apparaissait et lui ordonnait de ne plus quitter l'île, car il la voulait pour femme. Ariane obéit à la volonté du dieu et lorsque les Athéniens s'embarquèrent, elle refusa de les suivre. Thésée, craignant de mécontenter les dieux, laissa la princesse à Naxos. Mais tous eurent de la peine de ne pas pouvoir ramener la belle jeune fille avec eux à Athènes et, absorbés par leur regret, oublièrent de hisser la voile blanche.

Égée attendait avec impatience le retour du bateau, et le port était envahi par une foule agitée. Enfin le bateau apparut au loin, et comme il se rapprochait, les voiles en devinrent visibles.

Dès que le roi eut aperçu la couleur de deuil, il se jeta dans la mer du haut d'un rocher, et les vagues engloutirent son corps.

Le héros rendit les jeunes gens à leurs parents, mais lui venait de perdre son père. Lorsque les vagues lui rendirent son corps, il lui fit des obsèques solennelles et institua en mémoire de ce jour une célébration qui rappellerait les événements joyeux et tristes de son expédition.

Depuis ce jour, la mer où le roi trouva la mort s'appelle la mer Égée.

Tout le peuple se réjouit lorsque Thésée monta sur le trône d'Athènes. Il gouverna par l'esprit autant que par l'épée. L'histoire raconte qu'il pacifia toutes les villes et donna à sa patrie de nouvelles lois. Il limita de sa propre volonté les pouvoirs du souverain en lui adjoignant une assemblée de sages pour le conseiller.

C'est ainsi que Thésée libéra son pays et construisit un nouveau royaume, fondé sur la liberté et la sagesse.

LA FONDATION
DE THÈBES

Il y avait une fois un roi nommé Agénor, qui régnait sur la cité phénicienne de Sidon. Sa fille Europe était réputée pour sa beauté dans le monde entier, non seulement chez les hommes mais aussi chez les dieux. Zeus lui-même, le roi des dieux, en tomba amoureux.

Un jour, tôt le matin, la ravissante Europe partit en promenade avec ses suivantes à travers les prés fleuris qui bordaient la mer. Les jeunes filles ramassèrent des fleurs, puis elles s'assirent à l'ombre des arbres pour tresser des couronnes. Lorsqu'elles levèrent les yeux de leur travail, elles poussèrent un cri de surprise : un magnifique taureau, d'une blancheur éblouissante, paré de petites cornes limpides comme du cristal, les regardait.

Il avait un air si doux que bientôt Europe et ses compagnes oublièrent leur frayeur. La princesse lui tendit un gros bouquet tandis qu'on ornait ses cornes de guirlandes.

Le taureau gambada sur ses sabots brillants, baissant le cou et s'agenouillant devant la jeune beauté comme pour l'inviter à monter sur son dos. En riant, elle enfourcha l'étrange animal et invita ses suivantes à faire de même.

Mais le taureau ne les attendit pas, il se leva et, emportant Europe, alla droit dans la mer.

Europe, terrifiée, gémit et pleura mais cela ne la sauva pas. Sa monture gagnait le large et bientôt elle ne vit plus la côte ni les jeunes filles qui criaient. Il n'y avait autour d'elle que la mer.

Le soleil se coucha, les premières étoiles s'allumèrent dans le ciel, se reflétant dans la mer, et le taureau nageait toujours avec sa proie sur le dos. Dans l'obscurité apparut l'ombre d'une côte inconnue. La bête gagna la terre, il déposa doucement sa captive sur l'herbe tendre et disparut.

La déesse de l'amour, Aphrodite, sortit alors des chaudes ténèbres de la nuit et la consola :

« N'aie crainte », lui dit-elle avec douceur, « il ne te sera fait aucun mal. Zeus, roi des dieux, s'est changé en taureau pour t'enlever, car il est amoureux de toi. Ton nom sera immortalisé : la terre qui t'accueille le portera. »

C'est ainsi qu'Europe vécut avec Zeus, cachée dans une contrée lointaine. Son père, le roi Agénor, la pleura beaucoup. Il envoya des messagers pour tenter d'avoir des nouvelles de la princesse disparue, mais en vain. Personne ne lui donna le moindre espoir.

Alors il appela son fils Cadmos.

« Va », lui dit-il, « retrouve ta sœur et ramène-la-moi ; cherche dans le monde entier et apaise mon chagrin : ne reviens pas sans elle ! »

Le prince convoqua ses plus braves guerriers, choisit ceux qui l'accompagneraient et se mit en route à la recherche de la jeune fille.

Il erra dans les pays connus, dans ceux qui l'étaient moins et même dans ceux qui lui étaient tout à fait étrangers. Tout le long du chemin, il interrogea les gens mais personne n'avait vu Europe. Il traversa beaucoup de frontières, passa à gué beaucoup de rivières, mais en vain.

Un jour, Cadmos et ses compagnons perdirent leur chemin et se retrouvèrent sur une étrange route.

Ils la suivirent et, longtemps après, rencontrèrent un voyageur. Ils lui demandèrent où menait le chemin et apprirent que c'était celui de Delphes.

« Je vois que vous venez de loin », dit l'homme. « Peut-être cherchez-vous l'aventure, peut-être recherchez-vous quelqu'un. Qu'importe, lorsque vous arriverez à Delphes, prenez conseil de l'oracle. Ce sont peut-être les dieux eux-mêmes qui vous ont montré cette voie. »

Cadmos se réjouit. Il avait entendu parler de Delphes depuis longtemps. La Pythie, prêtresse d'Apollon, siégeait sur un grand trépied au-dessus d'une crevasse de la

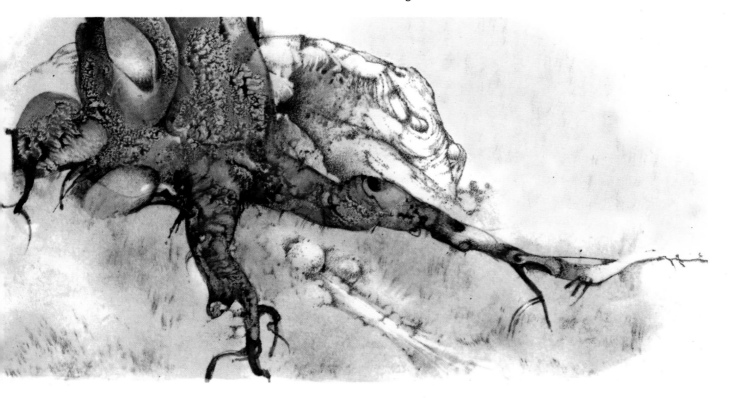

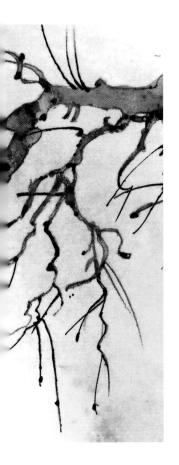

montagne. Elle respirait les émanations venant du gouffre, puis, intoxiquée par la fumée, criait des prédictions obscures qu'un prêtre rassemblait et interprétait pour ceux qui étaient venus prier l'oracle.

Cadmos remercia le voyageur et poursuivit son chemin. Lorsqu'il arriva à destination, il questionna la diseuse d'augures et obtint cette réponse :

« Ne cherche pas ta sœur et ne retourne pas chez toi. Tu rencontreras une génisse qui n'a jamais connu le joug dans une prairie isolée. Suis-la. À l'endroit où elle s'arrêtera pour se reposer, fonde une ville et nomme-la Thèbes. »

Cadmos s'inclina devant la volonté des dieux. Il chercha avec ses compagnons le pâturage évoqué par le prêtresse. Il le trouva bientôt, ainsi que la jeune vache qui broutait l'herbe gorgée de sève. À sa suite ils traversèrent un torrent et de larges plaines.

Enfin elle s'arrêta, jeta un regard au prince et à sa troupe, leva la tête et poussa un long meuglement. Lorsque la génisse se fut lentement couchée, le jeune héros tomba à genoux et embrassa avec ferveur cette terre étrangère qui était devenue la sienne. Puis il envoya ses guerriers à la recherche d'eau de source pour faire un sacrifice.

La forêt dans laquelle ils venaient de pénétrer n'avait encore jamais connu le tranchant de la hache. Aussi durent-ils se frayer un chemin à travers les buissons en suivant le murmure de la rivière.

Soudain une source, abondante et limpide, jaillit d'un rocher, sautant sur les pierres humides et donnant une agréable sensation de fraîcheur. Ils s'agenouillèrent pour recueillir le précieux liquide.

Tout à coup, un épouvantable fracas se fit entendre, provenant d'une grotte dissimulée dans le roc. Le taillis s'ouvrit devant un gigantesque dragon recouvert d'écailles, avec une crête ensanglantée qui se dressait de sa tête à sa queue. Les yeux du monstre jetaient des flammes et l'animal tout entier semblait l'incarnation du mal.

Il ouvrit grand ses mâchoires, découvrant trois langues énormes et trois rangées de dents, puis il cracha dans leur direction son haleine pestilentielle. Ceux qui survécurent, il les écrasa de son corps et les lacéra de ses griffes.

Le soleil atteignait le zénith et raccourcissait ses ombres, mais les compagnons de Cadmos ne revenaient pas. Cadmos s'inquiéta alors de leur absence. Il craignit qu'un sort malheureux se soit abattu sur eux, aussi prit-il son glaive et sa lance

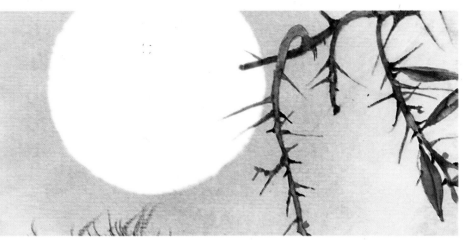

pour partir à leur recherche. Il trouva le sentier pratiqué à travers le taillis et atteignit le rocher où naissait la source. C'était là que gisaient ses camarades, massacrés par le terrible dragon qui secouait sa tête de façon menaçante au-dessus de leurs corps inertes.

Le jeune héros regarda courageusement les yeux injectés de sang du dragon et s'écria :

«Mes fidèles amis, je serai votre vengeur ou votre compagnon dans la mort !»

Il se baissa, ramassa un énorme fragment de roche et le jeta sur le monstre. Un tel coup aurait sûrement fracassé la plus solide des murailles, pourant elle ne fit aucun mal au dragon : le rocher glissa sur sa carapace d'écailles et ne fit qu'accroître sa fureur. Il se cabra contre son adversaire, mais Cadmos le piqua de sa lance, qu'il parvint à faire pénétrer sous sa peau. L'animal tourna la tête, mordit la lance et la cassa.

Mais il ne put en retirer la pointe, solidement plantée dans sa chair. Fou de douleur, le dragon attaqua à nouveau son ennemi. Il ouvrit la gueule pour tenter de tuer le héros de son souffle empoisonné.

Ayant percé ses intentions, le jeune homme se cacha précipitamment derrière un gros arbre. Il prit une autre lance et l'expédia dans la gorge de l'animal avec une telle force qu'il cloua le monstre à un chêne voisin. Celui-ci parvint en se secouant à déraciner l'arbre, le sang se mit à gicler de sa gueule et en un instant l'herbe, la mousse et les feuilles, tout devint rouge.

En agonisant, il écrasa de sa queue, qui battait de droite et de gauche, quelques buissons, puis ce fut le silence.

Pendant que, plein d'étonnement, Cadmos examinait le gigantesque cadavre, la déesse Pallas Athéna descendit du ciel.

«Sème les dents du dragon», lui ordonna-t-elle.

Le héros retourna la terre avec sa lance et planta dans les sillons les trois horribles mâchoires de la bête.

Soudain les mottes de terre se mirent à bouger et l'argile fut

percée par des glaives, des lances, des casques, des têtes, des cous, des poitrines et des bras brandissant des armes. Toute la plaine se remplit de guerriers.

Cadmos, effrayé par ce cortège armé, saisit son glaive lorsqu'un des guerriers l'interpella :

« Ne te mêle pas de notre combat. Il ne te concerne pas. » Et, se jetant sur son plus proche voisin, il le transperça d'un coup de lance.

La bataille s'engagea sous les yeux de notre héros. Ce fut l'inévitable massacre. Pouvait-il en être autrement alors qu'ils étaient nés des dents du dragon, fils d'Arès, dieu de la guerre ?

La plaine était jonchée de cadavres. Il n'y eut que cinq survivants dans cette multitude et ils firent la paix. Ils étaient forts et braves car ils avaient défendu leur vie dans un dur combat.

C'est avec eux que Cadmos fonda la ville de Thèbes.

NIOBÉ

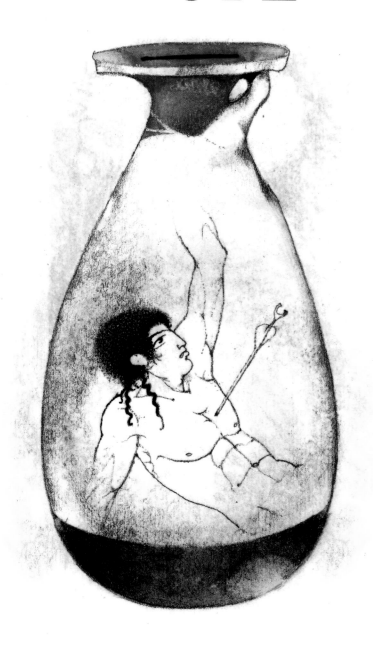

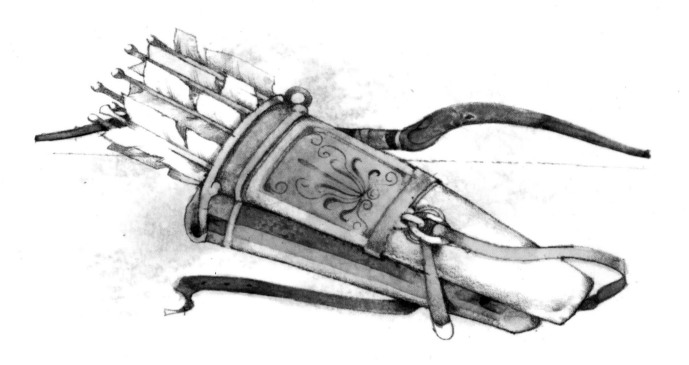

Niobé était la reine de Thèbes et jamais il n'y eut femme plus heureuse. À travers toute la Grèce, d'une côte à l'autre, les gens parlaient de son époux le roi Amphion, et de son talent pour jouer de la lyre.

Lorsqu'ils avaient dû construire les murs de la ville de Thèbes, le roi n'avait eu qu'à chanter une de ses jolies chansons et les rochers s'étaient brisés d'eux-mêmes. Les pierres, charmées, l'avaient suivi et s'étaient entassées toutes seules en murailles épaisses.

Le père de Niobé était Tantale. Elle était très fière de son amitié avec les dieux. Les greniers royaux étaient pleins de blé, les troupeaux étaient gras et les coffres du palais regorgeaient d'or et d'argent. La reine ne manquait de rien. Mais son orgueil suprême était d'avoir donné naissance à sept beaux garçons et à autant de ravissantes filles.

Un jour, toutes les pieuses femmes de Thèbes, les cheveux ornés de lauriers, se préparaient à faire de grands sacrifices en l'honneur de la déesse Léto et de ses enfants, Apollon et Artémis.

Niobé, courroucée, les surveillait, quand finalement la colère lui fit quitter le palais. Elle descendit dans la ville avec ses suivantes, semblable

à une déesse dans son magnifique manteau tissé d'or, sa brillante chevelure lui retombant sur les épaules. Telle une divinité, elle fendit la foule des femmes en prières qui versaient de l'encens sur les feux sacrés.

« Êtes-vous devenues folles ? » leur demanda-t-elle. « Vous offrez des sacrifices à des dieux que vous n'avez jamais vus. Pourquoi n'en faites-vous pas pour moi ? Vous me connaissez sûrement mieux que Léto. Mon mari est le fameux roi Amphion. Mon père était le roi Tantale. Il participait aux festins des dieux et partageait le nectar et l'ambroisie. J'ai plus de trésors que n'importe quelle déesse et bien plus d'enfants que Léto. J'ai sept fils et sept filles alors qu'elle n'a qu'Apollon et Artémis. Ma famille est noble, riche et féconde. Aucune divinité ne peut comparer son bonheur au mien et même s'il diminuait, il serait encore bien grand ! Quittez les autels et les sacrifices. Priez celle qui le mérite ! »

Les femmes s'effrayèrent de la colère royale, elles enlevèrent les lauriers de leurs cheveux et abandonnèrent les sanctuaires. Mais en elles-mêmes, elles demandèrent pardon à Léto.

Celle-ci, du sommet de la montagne, n'avait rien perdu de la scène qui s'était déroulée à Thèbes. Son cœur se mit à battre lorsqu'elle vit Niobé détourner les pieuses femmes de leur devoir.

« Mes enfants », dit-elle au dieu Apollon et à la déesse Artémis, « votre mère a été gravement offensée par une simple mortelle. La folle a chassé les fidèles de mes autels, elle a mis ses enfants au-dessus de vous et elle s'est moquée de moi ! »

Léto allait poursuivre son discours quand son fils s'exclama :

« Cessez de vous lamenter, ma mère, vous ne faites que retarder sa punition ! »

Apollon et Artémis s'enroulèrent dans un nuage comme dans un manteau et, ainsi cachés aux yeux des hommes, ils descendirent à travers le ciel d'azur près des murailles de Thèbes.

Devant les portes de la ville, les sept fils de Niobé s'exerçaient à la lutte et aux jeux de la guerre.

L'aîné galopait en rond sur un robuste cheval, retenant fermement par la bride l'animal écumant, quand soudain il poussa un cri et tomba. La flèche d'Apollon vibrait encore dans sa poitrine.

Le second frère avait entendu siffler la flèche. Il se retourna et fut saisi de terreur à la vue d'un sombre nuage immobile dans le ciel. Il pressa sa monture, mais en vain : d'une

seconde flèche, Apollon avait déjà transpercé sa nuque.

Deux garçons plus jeunes luttaient au corps à corps. Ils furent tous deux rivés à terre par le même coup et ensemble ils expirèrent. Le cinquième accourut à leur aide, mais avant d'atteindre leurs corps il fut tué à son tour. Le sixième fut touché à la jambe. Tandis qu'il essayait de tirer la flèche de la blessure, une autre flèche le transperça et, avec son sang, la vie quitta son corps.

Le plus jeune leva les bras et supplia les dieux de l'épargner. Apollon fut ému, mais il ne pouvait rattraper son trait. Le dernier fils périt aussi.

La nouvelle de l'affreux massacre se répandit dans Thèbes comme une horrible tempête.

Fou de chagrin, le roi saisit son épée et se tua. Niobé se précipita sur les lieux du carnage. Elle enlaça les morts en pleurant et les embrassa pour la dernière fois, mais l'orgueil fut encore le plus fort.

Elle leva les yeux au ciel et s'écria :

« Réjouis-toi de ma peine, cruelle Léto. Avec mes sept fils, j'enterre une partie de ma vie. Pourtant il me reste plus d'enfants que toi : j'ai encore sept filles ravissantes. »

À peine eut-elle fini cet imprudent discours que la corde de l'arc vibra. L'une des beautés tomba, morte, sur le corps à peine refroidi de son frère. La déesse Artémis tendit à nouveau son arc et la seconde fille dit adieu à la vie. Quant aux autres, malgré leurs tentatives pour fuir ou leurs essais pour se dissimuler, les flèches de la déesse vengeresse les atteignirent toujours.

Seule la plus jeune restait couverte par Niobé elle-même. Pour la première fois, les bras au ciel, celle-ci implorait la déesse de l'épargner. Mais, tandis qu'elle suppliait, l'enfant mourut dans ses bras.

La reine resta seule. Autour d'elle, l'herbe murmurait : « Quel être humain peut compter sur le bonheur, en présence de la mort ? »

Immobile, perdue dans sa peine, Niobé regardait droit devant elle. Le sang quittait doucement ses joues, ses cheveux devenaient pesants et même le vent n'arrivait plus à les éparpiller. Dans son visage de pierre ses yeux se figèrent. Ses bras et ses jambes s'alourdirent et tout son corps se transforma en rocher.

Un puissant tourbillon de vent s'abattit sur Thèbes, emportant Niobé en Lydie où les hommes se précipitèrent pour voir l'étrange nouveauté.

La pierre avait la forme d'une femme et de ses yeux coulaient deux intarissables sources de larmes.

ŒDIPE
ET
ANTIGONE

Il y a bien longtemps, Thèbes était gouvernée par le roi Laïos et la reine Jocaste. Ils n'avaient pas d'enfant et souhaitaient en vain un garçon pour assurer leur succession.

Un jour, le roi envoya un messager à Delphes pour demander au fameux oracle ce qu'il fallait faire pour apaiser le courroux des dieux. Ce fut une atroce prédiction que rapporta l'homme à ses souverains : le monarque en resta muet d'horreur.

« Il te naîtra un fils, et, avec lui, le malheur s'abattra sur ton palais. Tu mourras toi-même de sa main. »

Désespérée, la reine passa ses nuits à pleurer.

Aussi, lorsque Jocaste mit au monde un garçon, la joie céda la place à la terreur. Laïos ne voulut pas voir l'enfant et ordonna sur-le-champ qu'un vieux berger l'emporte dans la montagne et l'abandonne aux animaux sauvages. Mais le berger prit pitié de cet innocent et le sauva de la mort. Il l'emmena chez un de ses amis, berger lui aussi, qui gardait les troupeaux du roi de Corinthe. Puis il s'en revint à Thèbes en prétendant avoir accompli sa fatale mission.

Alors Laïos se calma, et après quelques mois la reine sécha ses pleurs et oublia son malheureux nouveau-né. Puis le couple royal se fit à l'idée qu'il n'aurait pas de descendance.

Le berger qui avait recueilli le petit garçon lui donna pour nom Œdipe et l'emmena dans la cité de Corinthe. Le roi de ce pays, qui lui non plus n'avait

pas d'héritier, s'attacha à l'enfant et l'adopta. Œdipe prit des forces et grandit sans se douter le moins du monde de ses véritables origines : le secret en était bien gardé.

Lorsqu'il devint adulte, son père adoptif organisa une grande fête en son honneur. Les vins les plus fins égayèrent les visages et les esprits des joyeux convives. Puis les invités se mirent à raconter des histoires vraies ou fausses, et ceux qui avaient le sang chaud se mirent à se disputer. Œdipe, qui était lui aussi d'un tempérament très passionné, prit part à la querelle. C'est alors qu'un homme pris de boisson, voulant cruellement l'offenser, s'exclama :

« J'en ai assez de me disputer avec toi. Seuls les dieux savent de qui tu es le fils. Sûrement pas celui de notre roi ! »

Le jeune homme domina sa colère et se tut, car une étrange pensée venait de le priver à jamais de la paix du cœur. La première chose qu'il fit le lendemain fut de demander au roi et à la reine si on lui avait dit la vérité. Ils essayèrent de le rassurer, et se fâchèrent contre l'impudent bavard. Doutant de leur sincérité, Œdipe sourit tristement sans les croire. Et comme les soupçons le troublaient chaque jour davantage, il décida, sans en demander la permission, d'aller consulter l'oracle de Delphes.

Il espérait qu'ainsi lui serait révélé le secret de sa naissance. Mais il quitta Delphes encore plus troublé qu'il n'y était arrivé, car une sinistre prédiction lui avait été faite :

« Fuis ton père ! Si tu le rencontres, tu le tueras de tes propres mains, et tu épouseras ta mère. »

Aussitôt la résolution d'Œdipe fut prise : il ne retournerait pas chez ses parents adoptifs, qu'il croyait être ses véritables parents. Il prit la direction opposée à Corinthe, erra dans des pays inconnus et suivit les étoiles de façon que sa route ne le ramène jamais vers sa patrie, car il craignait de voir s'accomplir le présage fatal.

Un jour, il rencontra un char à la croisée de deux chemins. Sur ce char, un vieil homme et deux serviteurs. Comme ils étaient pressés, ils interpellèrent Œdipe :

« Laisse-nous passer, et vite ! »

Notre héros ne bougea pas mais se mit à se quereller avec le conducteur impatient, et le jeta à bas de son siège. Alors le vieillard entra dans une grande colère et voulut frapper le jeune homme. Mais celui-ci, plus rapide que lui et doté d'un caractère fort emporté, le tua, massacra ses serviteurs et, enfin calmé, poursuivit sa route.

Peu de temps après, Œdipe aperçut les remparts de la ville de Thèbes. Comme il se sentait fatigué,

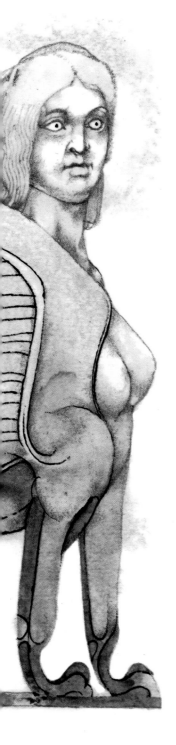

il s'assit sur une pierre en bordure du chemin pour se reposer. Soudain il vit apparaître un voyageur marchant d'un pas très rapide et qui semblait fuir la cité. L'homme s'arrêta devant notre héros et s'exclama :

« Qui es-tu donc pour t'arrêter aussi calmement ? Je ne conseillerais pas cela, même à mon pire ennemi. »

Œdipe regarda le nouveau venu avec stupéfaction.

« L'un se repose tandis que l'autre court comme s'il avait commis un forfait », dit-il, « tu fuis Thèbes tandis que moi j'y vais. »

« Tu vas à Thèbes », s'écria le voyageur terrifié. « Mais ne sais-tu pas qu'un Sphinx s'est installé sur un rocher près des murs de la ville ? »

« Je viens de Corinthe », répondit le jeune homme, « et je n'ai parlé à personne en chemin. »

« Eh bien, écoute », lui murmura l'homme. « Le Sphinx est une créature à tête de femme et au corps de lion. Sur son dos, il a des ailes. Chaque jour un habitant de la ville doit aller le voir pour qu'il lui pose une énigme. S'il ne la résout pas, le Sphinx le précipite dans l'abîme. Personne n'arrive à trouver la réponse, c'est une véritable sorcellerie. Aussi je suis bien content de n'être pas Thébain. Dès que je suis arrivé dans la cité et que j'ai su le funeste sort qui la frappait, j'ai pris mes jambes à mon cou. Puisque toi aussi tu es étranger, n'y va pas, fuis avec moi. »

« Poursuis ta route », dit Œdipe, « ta vie t'est sans doute très chère si j'en juge par la façon dont tu la protèges. Quant à moi, si je meurs, j'échapperai à une terrible fatalité. »

Ayant prononcé ces paroles, il se leva et, perdu dans ses tristes pensées, s'avança vers la ville. Resté seul, le voyageur hocha la tête :

« Il n'est pas de Thèbes et il veut se mêler de cela ! Grand bien lui fasse ! » Et il reprit sa course.

Ayant atteint la cité, Œdipe se dirigea aussitôt vers le palais royal où il trouva la reine Jocaste et son frère Créon. Le roi Laïos était parti à Delphes pour demander à l'oracle comment délivrer son royaume. Il n'en était pas revenu et l'on supposait qu'il avait été attaqué et tué par des voleurs de grand chemin. Aussi, pour le moment, Créon régnait-il à la place du défunt.

Le jeune homme s'avança devant lui et dit :

« Je sais le fléau qui s'est abattu sur ton peuple. Je vais aller trouver le Sphinx et j'essaierai de résoudre son énigme. »

Jocaste et Créon furent surpris par tant de témérité et le frère de la reine soupira tristement :

« Les dieux aident les braves. Mon fils lui aussi a été victime de ce

maudit sort et nous le serons tous à notre tour si personne ne trouve la solution de l'énigme. Je serai heureux de céder mon trône à quiconque nous délivrera du Sphinx.»

La reine contempla le jeune homme avec admiration sans se douter qu'il était son propre fils.

Le lendemain, tous les citoyens de Thèbes accompagnèrent le héros à l'une des sept portes de la ville; mais ils n'osèrent pas s'aventurer plus loin. Œdipe escalada le sentier abrupt qui menait au rocher où se trouvait le Sphinx. Déjà celui-ci attendait sa victime. Il cligna de l'œil et lança au jeune homme un regard rusé.

«Écoute attentivement!» scanda la voix avec une dureté inhumaine:

«Le matin, il a une tête et quatre jambes.

À midi, il n'en a plus que deux.

Et le soir il en a trois.

Plus il a de jambes,

Moins il a de force.»

Œdipe sourit: grâce à son intelligence, la question lui avait paru facile.

«C'est l'homme», dit-il. «Au matin de sa vie il marche à quatre pattes. Au midi, qui représente l'âge adulte, il marche droit sur ses deux jambes, et au soir de sa vie il a besoin d'un bâton pour étayer sa faiblesse. Ce bâton, c'est sa troisième jambe.»

«Tu as résolu l'énigme!» hurla le Sphinx, et il se précipita dans l'abîme.

Lorsque du haut des remparts les Thébains aperçurent Œdipe qui revenait, sain et sauf, de sa mission, leur joie éclata bruyamment. Ils l'accueillirent en libérateur et Créon lui céda le trône. Ainsi le jeune homme devint roi de Thèbes et reçut la reine Jocaste pour épouse.

Longtemps, Œdipe régna avec bonheur et justice. La reine donna naissance à deux fils, Étéocle et Polynice, et à deux filles, Antigone et Ismène, sans que personne ne soupçonne que les enfants du roi étaient aussi ses frères et sœurs.

Les années passèrent. Les fils devinrent des hommes, les filles des femmes. C'est alors que la peste s'abattit sur le pays. La Mort fit des ravages dans toutes les demeures, des familles entières furent décimées et une grande anxiété s'empara de ceux qui espéraient encore survivre. Même le bétail dans les prés se fit rare. Les bergers disparaissaient et les troupeaux périssaient. Les vallons qui auparavant retentissaient de meuglements étaient maintenant silencieux et déserts.

Le peuple terrifié supplia Œdipe d'intercéder en sa faveur : depuis sa victoire sur le Sphinx, on le pensait protégé par l'Olympe.

« Rentrez tranquillement chez vous », répondit le héros. « Ce soir Créon, le frère de ma femme,

reviendra de Delphes avec une prédiction. Nous obéirons à la volonté exprimée par les dieux et chasserons le fléau de notre pays. »

Avant même que le jour soit tombé, un char tiré par des chevaux écumants s'arrêta devant le palais et Créon en descendit rapidement pour faire part au roi de ce que lui avait dit l'oracle.

« Ce ne sera ni facile ni rapide de soulager notre peine », dit-il au souverain. « Le meurtrier du roi Laïos est dans nos murs. Tant qu'il ne sera pas puni nous ne serons pas débarrassés de la peste. »

Aussitôt Œdipe fit annoncer dans tout le royaume que quiconque aurait un témoignage à fournir concernant l'assassinat du défunt roi était prié de se présenter au palais sans aucun délai. Il convoqua aussi l'aveugle Tirésias auquel les dieux avaient accordé le don de prophétie. Mais celui-ci refusa plusieurs fois d'obéir à cet appel et, lorsque finalement il fut forcé de se rendre au palais, il montra une grande réticence, refusa de franchir la porte et resta obstinément sur le seuil.

Œdipe sortit le rejoindre :
« Entre donc », insista-t-il, « nous attendons avec impatience ton sage conseil. »

« Renvoie-moi, ô roi », supplia alors l'aveugle, « il serait préférable pour toi comme pour moi que je ne te révèle pas le nom du coupable. L'ignorance est parfois précieuse. »

« Parle », l'encouragea le héros, « nous souhaitons tous délivrer Thèbes. Tu ne dois pas être une exception. Chacun ici désire t'entendre. »

« Ne m'oblige pas à dévoiler ce terrible secret. Permets-moi de me taire : un horrible fléau s'est abattu sur nos têtes, mais un malheur bien plus grand te frappera si je parle. »

« Très bien », s'exclama le roi. « Je comprends pourquoi tu gardes le silence : je pense que tu es le complice des meurtriers. Tu es traître à ton pays, et si tu n'étais pas aveugle, je dirais que tu es toi-même l'assassin. »

Après une telle réprimande, Tirésias ne résista plus et révéla ce qu'il savait depuis longtemps.

« Tu veux connaître la vérité ? Eh bien, je vais te la dire. Tu as toi-même tué Laïos et tu as épousé ta propre mère ! »

Se souvenant du lointain présage, Œdipe s'alarma. Mais bientôt la colère chassa ce troublant souvenir.

« Qui a inventé cela ? » s'écria-t-il ; « Créon ou toi ? Vous voulez donc vous emparer de mon trône par la traîtrise et par la fourberie ? Ou bien peut-être es-tu fou ? »

«Il te semble que j'ai perdu la raison», répondit le prophète, «pourtant tes parents me considéraient comme un sage. L'avenir montrera qui a dit la vérité et qui n'a pas voulu la comprendre.»

Et sur ces mots, le vieil aveugle quitta le palais. La reine Jocaste consola le bouillant Œdipe :

«Quelle importance a donc la prophétie de Tirésias ? Ne te tracasse pas. Je peux te donner l'exemple d'un faux présage : mon premier mari, Laïos, avait lui aussi consulté une fois l'oracle qui lui avait prédit qu'il périrait de la main de son propre fils. Et notre unique enfant est mort dans la montagne. Quant à Laïos, il fut tué par des voleurs au croisement de deux routes en revenant de Delphes. »

«À un croisement de chemins», reprit vivement Œdipe. «Et à quoi ressemblait-il ?»

«Il était grand», répondit la reine, «ses cheveux blanchissaient sur les tempes et il te ressemblait beaucoup.»

«L'aveugle avait raison», s'écria Œdipe horrifié. Et il se mit à poser des questions à sa femme. Plus il obtenait de réponses, plus il se sentait coupable et malheureux. L'histoire du défunt roi tué par des voleurs s'évanouit, faisant place à l'horrible supposition qu'Œdipe lui-même était le meurtrier.

C'est alors qu'arriva de Corinthe un messager apportant la nouvelle de la mort du roi et offrant au héros le trône vacant. Jocaste demanda au messager des précisions sur la mort du souverain et, lorsqu'elle apprit que celui-ci était mort de vieillesse dans son lit, elle courut trouver son époux et lui dit avec un sourire radieux :

«Tu t'es fait bien du souci ; pendant ce temps, ton père passait paisiblement de vie à trépas. »

Mais cette annonce n'apaisa pas Œdipe. Il ne pouvait s'empêcher de penser aux propos de l'ivrogne qui avaient gâché sa jeunesse.

«Je ne retournerai pas à Corinthe», dit-il au messager, « car ma mère y vit encore. »

«Seigneur, si tu crains ta mère, je vais te rassurer : ni le roi ni la reine de

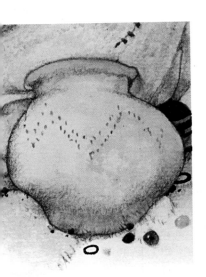

Corinthe n'étaient tes parents : c'est moi qui t'ai apporté dans la cité alors que tu n'étais qu'un tout petit enfant.»

« Et où m'as-tu trouvé ? » s'enquit Œdipe.

« Un vieux berger du roi de Thèbes t'a confié à moi, un jour dans la montagne. »

À ces mots, Œdipe poussa un horrible cri et s'enfuit du palais. Il n'y avait plus de doute possible : l'affreuse prédiction s'était accomplie. Il parcourut la ville en demandant à tous les citoyens qu'il rencontrait de le tuer et de délivrer ainsi le pays du mal qui le rongeait. Mais les Thébains avaient pitié de leur roi et n'arrivaient pas à le haïr. Alors le malheureux revint au palais, fermement décidé à se punir lui-même.

Il y trouva les servantes en pleurs. Ses filles, terrorisées, lui montrèrent la chambre où la reine Jocaste venait de se pendre. Œdipe se précipita vers elle, prit une épingle d'or de son voile et se creva les yeux. Rendu aveugle par sa propre volonté, il appela Créon :

« Prends le trône et bannis-moi ! »

Le nouveau souverain s'efforça pourtant de le garder à Thèbes. La peste avait disparu, la paix et la prospérité revenaient. Mais personne n'arriva à persuader Œdipe de rester dans la ville. Il partit, appuyé sur un bâton, accompagné de sa fille aînée Antigone. Elle seule avait refusé d'abandonner son père dans le malheur.

Bientôt ce couple d'étranges voyageurs fut connu de toute la Grèce : le vieil aveugle conduit par la ravissante jeune fille. Ils erraient tous les deux à la recherche des bosquets des Érinyes, déesses chargées de punir les parricides, car l'oracle avait prédit qu'Œdipe y trouverait enfin la paix.

Pendant ce temps les fils d'Œdipe, Étéocle et Polynice, avaient grandi et se disputaient le trône de Thèbes. Leur rivalité était bien loin de rendre service au pays et Créon, inquiet de cette discorde, leur conseilla de régner chacun à leur tour. Les frères acceptèrent. Polynice allait régner une année, puis Étéocle lui succéderait pour douze mois avant de lui céder le trône pour une nouvelle année.

Mais il advint que durant son année de gouvernement Étéocle assura tellement bien son pouvoir que Polynice dut fuir le royaume. Étéocle devint roi de Thèbes et son frère partit à l'étranger pour rassembler une armée afin de reconquérir le trône par la force.

Comme les deux prétendants avaient le caractère aussi vif que leur père, aucun des deux ne voulut céder et la guerre fut bientôt sur le point d'éclater. Chacun souhaita alors

s'assurer l'appui d'Œdipe, car il avait été prédit que celui qui le gagnerait à sa cause serait victorieux. Aussi se mirent-ils en quête de l'aveugle et pour la première fois depuis tant d'années s'inquiétèrent de son sort.

À ce moment, Œdipe était arrivé non loin d'Athènes et, enfin, il sentait en son cœur que le moment où il trouverait la paix était proche. Il s'assit avec Antigone à la lisière d'un bois pour se reposer. Soudain il entendit un bruit de sabots et une troupe de chasseurs conduits par le roi d'Athènes, Thésée, s'arrêta devant lui. Ce souverain reconnut aussitôt l'aveugle, il sauta à bas de son cheval et vint le saluer :

« Pauvre Œdipe », dit-il, « je sais ton triste sort et aimerais t'offrir mon aide. Viens avec nous à Athènes, tu pourras y vivre une vieillesse paisible. Bientôt la nuit froide va tomber et tu ne peux rester ici dans ce bois dédié aux Érinyes. »

Quand Œdipe apprit où il était, il se réjouit car son voyage était fini. Aussi il remercia le roi avec douceur et tranquillité :

« Merci, ô Thésée, mais j'ai achevé mon périple. Je partirai bientôt pour le royaume des ombres. Si tu veux me rendre un dernier service, dis à tes serviteurs de m'apporter des vêtements neufs pour que je ne vive pas en guenilles ce moment solennel. »

Accédant à sa prière, le souverain envoya ses gens à Athènes et s'assit à côté d'Œdipe. À peine la suite royale était-elle partie que retentit à nouveau le bruit de chevaux au galop, et ce fut cette fois Polynice qui mit pied à terre devant l'aveugle. Enfin il avait retrouvé son père ! Il tomba à genoux, se plaignant de son frère qui l'avait privé du trône, et supplia Œdipe de se joindre à lui dans sa lutte fratricide.

« Pendant des années tu ne t'es pas soucié de moi », répondit le héros à ces lamentations, « et maintenant que tu veux t'emparer du pouvoir tu voudrais que je t'aide dans cette lutte contre nature ? Reçois donc le conseil de ton père au seuil de la mort : si tu attaques Thèbes, tu subiras le même sort que celui que tu souhaites à ton frère. Va-t'en d'ici ! Même mes yeux aveugles peuvent voir le sang de ton frère imprimé sur ton glaive. »

Fou de rage, Polynice sauta sur son cheval et, sans dire adieu, partit rejoindre son armée. Étéocle, quant à lui, envoya Créon en ambassadeur

à son père pour le persuader de revenir à Thèbes. Créon arriva aux portes d'Athènes alors que Polynice, le visage contracté par la colère, quittait Œdipe. Il était tellement perdu dans ses amères pensées qu'il ne reconnut même pas son oncle, mais sa vue donna à Créon l'espoir de réussir sa délicate mission. Il se précipita donc vers le bois pour présenter sa requête.

Mais Œdipe, dégoûté par ces manœuvres, détourna la tête. Au moment de quitter la vie, il devinait les terribles conséquences de la guerre de Thèbes et ne voulait plus se mêler des affaires terrestres.

À son tour, Créon le quitta.

Pendant ce temps, les serviteurs étaient revenus d'Athènes et l'aveugle revêtit le vêtement qu'ils lui avaient rapporté. Il fit à tous ses adieux et demanda à Thésée d'aider Antigone à retourner dans son pays natal. Puis, comme si soudain la vue lui était revenue, il pénétra d'une démarche assurée dans le bois dédié aux déesses infernales. Au plus profond des buissons il trouva l'entrée du monde inférieur. Il y disparut et la terre se referma silencieusement après son passage. Personne ne retrouva jamais son corps.

Antigone revint à Thèbes alors que les troupes de Polynice encerclaient déjà la ville. Six courageux commandants se présentaient à six portes de la cité tandis que Polynice se chargeait lui-même de la septième.

Craignant un siège prolongé, Étéocle se montra sur les remparts et s'écria :

« Pourquoi, mon frère, de braves guerriers périraient-ils de part et d'autre pour une querelle que nous pouvons régler nous-mêmes : mesure ta force à la mienne. Si tu es vaincu, tes troupes se retireront, si tu es vainqueur, tu deviendras roi de Thèbes sans qu'il y ait eu de guerre et les Thébains t'ouvriront leurs portes. »

Polynice accepta la proposition de son frère. Les deux armées se confondirent et se rassemblèrent en dehors des murs de la ville. Les soldats se mirent aussitôt à faire des paris sur l'issue du combat.

Étéocle et Polynice se jetèrent l'un sur l'autre en brandissant leurs armes et sous les regards de leurs concitoyens commencèrent leur combat fratricide. Les lames sifflaient dans les airs avant de rebondir sur les boucliers qu'ils tenaient à bout de bras. Les deux frères lançaient leurs assauts avec rage, encouragés par leurs guerriers, mais les boucliers arrêtaient tous les coups. Le premier qui commit une imprudence fut Étéocle, qui laissa une jambe à découvert. Aussitôt celle-ci fut impitoyablement sectionnée d'un

coup de lance, à la grande joie des troupes de Polynice. Le malheureux, surmontant la souffrance causée par sa blessure, ressaisit son épée. Polynice fit de même et le combat continua. Soudain Étéocle arriva à s'approcher très près du côté où son adversaire n'était pas protégé par son bouclier. Il prit son élan et lui porta un coup mortel. Polynice s'écroula aux pieds de son frère. Mais alors qu'Étéocle se penchait sur le mourant, celui-ci ouvrit une ultime fois les yeux, et, rassemblant ses dernières forces, brandit son épée et tua son frère. Tous deux rendirent l'âme en même temps.

Les frères étaient bien morts, mais une violente dispute s'éleva aussitôt entre les armées en présence, l'une soutenant qu'Étéocle était le vainqueur, l'autre affirmant le contraire. Par chance pour les Thébains, ils avaient pensé à prendre leurs armes alors que les partisans de Polynice avaient oublié les leurs. En conséquence, l'armée de Thèbes fut la plus forte et celle de Polynice amorça une retraite qui se termina en fuite éperdue.

La troupe victorieuse put faire son entrée dans la ville ainsi libérée.

Une fois de plus Créon prit le pouvoir. Comme Étéocle était mort pour sauver sa patrie, il eut droit à des funérailles solennelles, quant à Polynice, puisqu'il avait levé les armes contre sa propre ville, son corps fut condamné à rester à l'air libre en dehors de Thèbes. Les oiseaux de proie et les chiens sauvages se partageraient sa dépouille. Quiconque oserait l'enterrer serait puni de mort, et Créon envoya même des gardes pour s'assurer que personne ne désobéissait à son ordre.

Cet arrêt inhumain attrista Antigone : comment l'âme de son frère pourrait-elle trouver la paix, si elle n'était pas enterrée ?

« Ma sœur », dit Antigone à Ismène, « le corps de Polynice gît hors de l'enceinte de cette ville. Viens avec moi, allons nous occuper de lui avant que les bêtes ne passent à notre place. »

« Ne sais-tu pas que faire cela signifie la mort ? » demanda Ismène, effrayée.

« Mourir pour une action agréable aux dieux et aux hommes est une belle fin », répondit Antigone.

« Il n'est pas toujours possible de faire le bien », se défendit Ismène. « Créon est puissant et tu ne lui échapperas pas. »

« Je lui ai déjà échappé », dit Antigone. « Il peut me tuer pour avoir obéi à l'amour humain et fraternel. Mais il ne peut supprimer l'amour et la charité. Si tu ne veux pas venir avec moi, j'irai seule. »

Elle n'essaya pas davantage de convaincre sa sœur. Profitant de l'obscurité de la nuit, elle s'échappa du palais et sortit de la ville. Le mort était couché le long des remparts de la cité tandis que non loin de là sommeillaient les gardes. Sans bruit elle tira le corps de son frère vers une rivière où elle le lava avant de l'oindre d'huile ; puis elle le couvrit de terre. Dès l'aurore elle revint à Thèbes.

La fraîcheur du matin réveilla les sentinelles. Elles s'aperçurent alors que l'endroit où gisait la dépouille était vide et imaginèrent la colère de Créon. Aussi cherchèrent-ils fébrilement des traces de l'enlèvement, et, en les suivant, atteignirent la rivière où ils découvrirent la tombe inachevée. Ils enlevèrent la terre qui recouvrait le corps et s'embusquèrent pour confondre le coupable.

Ils attendirent ainsi toute la journée et lorsque l'obscurité fut tombée ils remarquèrent une sombre silhouette. C'était Antigone qui allait achever sa tâche. Elle s'arrêta devant

la sépulture profanée mais, au lieu de s'attarder, prit des poignées de terre et se mit à les jeter pour combler à nouveau le trou. Comme elle se penchait pour la deuxième fois, les gardes quittèrent leur cachette et s'emparèrent d'Antigone, qui n'opposa aucune résistance et ne nia pas les faits.

« Comment as-tu pu désobéir à mes ordres ? » s'écria Créon, fort en colère.

« Ce n'était pas le commandement de Zeus, mais celui du roi », répondit Antigone, « donc il ne peut compter davantage que l'amour et la charité.

Il y a des lois qui sont au-dessus de celles que peuvent instituer les souverains. »

« Tu es bien la seule à avoir cette opinion », hurla le roi.

« Non », dit la jeune fille, « le peuple de Thèbes pense la même chose, mais il n'ose pas te le dire. »

« N'es-tu pas honteuse d'être unique en ton genre ? » demanda Créon.

« Je ne regrette pas d'avoir honoré mon frère défunt. La mort donne les mêmes droits au vaincu et au vainqueur. Et tu ne peux m'ôter plus que la vie. »

« Tu parles bravement, mais nous verrons si tu es aussi courageuse devant le chemin qui mène au royaume des ombres. À moi, gardes ! »

Les hommes en armes accoururent à l'appel de Créon qui leur ordonna d'emmener Antigone dans une grotte isolée, puis de l'y enterrer vivante. La troupe était déjà partie avec sa prisonnière lorsque le fils du roi, Hémon, qui était son fiancé, apprit ce qui s'était passé. L'insensible Créon fut sans pitié. Alors Hémon s'enfuit du palais, espérant arriver à empêcher l'accomplissement de l'injuste punition.

Pendant ce temps, le prophète aveugle Tirésias se fit conduire au palais et mit en garde le roi contre une aussi cruelle décision. De très mauvais présages avaient prévenu le vieil homme que de lourdes menaces pesaient sur la famille royale.

Après son départ, Créon se mit à réfléchir. Puis soudain il prit peur de la punition des dieux immortels. Il fit harnacher ses chevaux, sauta dans son char et galopa jusqu'à la grotte. Mais déjà en chemin lui parvinrent de terribles nouvelles : Antigone s'était pendue à son voile et son fils Hémon s'était transpercé le corps de son glaive devant sa défunte fiancée. Lorsque la femme du roi apprit ce malheur, elle se suicida.

Comme Créon eût été plus heureux s'il avait pu faire revivre les morts ! Mais tel est le destin des rois tyranniques : sur un seul ordre ils peuvent décider du sort de leurs sujets et les priver à jamais du bonheur ; mais nul de leurs ordres ne peut, par contre, rendre le bonheur aux sujets ni la vie aux morts. Créon vécut tristement, avant de rejoindre ses victimes au royaume des ombres.

DÉDALE
ET
ICARE

Il y a bien des années, l'artisan le plus fameux de Grèce s'appelait Dédale. Il était à la fois sculpteur et architecte et travaillait aussi bien le bois que le métal.

Devant ses édifices, chacun se demandait si c'était là une œuvre divine ou bien une construction humaine. Quant à ses statues, la légende rapporte qu'elles semblaient vivantes.

Dédale se promenait souvent dans les champs où se dressaient les colonnes des temples inachevés, entouré par une foule d'apprentis issus des plus nobles familles d'Athènes. Pourtant, son élève le plus doué n'était ni noble ni riche. C'était

Talus, le fils pauvre de sa propre sœur. Alors que les autres garçons portaient des noms rendus fameux par leurs pères, Talus allait lui-même gagner sa renommée.

À peine âgé de douze ans, il avait déjà inventé le tour du potier. Ayant remarqué la forme dentelée de l'épine dorsale des poissons, il avait imaginé la première scie. C'est aussi lui qui inventa le compas en tendant un lien entre deux morceaux de bois de même longueur.

Un jour que le maître inspectait le chantier d'un nouveau palais, il entendit les ouvriers bavarder de l'autre côté du mur contre lequel il se tenait.

« N'est-ce pas que Dédale est le plus grand artisan du monde ? » disait l'un d'eux.

« Talus le surpassera, attends qu'il grandisse », répondit un autre.

Cette conversation plongea le génie dans d'amères pensées. Il n'était pas habitué à entendre mettre en doute sa première place parmi les architectes. À partir de ce jour, il ne supporta plus la présence de son neveu. Le jeune garçon avait déjà tant appris que Dédale était sûr qu'il deviendrait fameux, et il voyait d'avance l'étoile de sa renommée se ternir.

Talus ne comprenait pas la colère et les réprimandes continuelles de son oncle, aussi accepta-t-il avec joie, un soir, la proposition d'aller se promener avec lui. Il ne se doutait pas que son oncle ne faisait que dissimuler sa haine pour se débarrasser de lui.

En effet, après avoir entraîné Talus dans le château d'Athènes, Dédale, profitant de l'obscurité profonde, le jeta du haut des remparts.

Après ce forfait, le criminel descendit pour enterrer le corps et effacer les traces de son acte. Quelle ne fut pas sa surprise de ne rien trouver.

La déesse Athéna, charmée par l'intelligence et l'adresse du jeune garçon, l'avait arrêté dans sa chute et l'avait transformé en oiseau : il était devenu un vanneau.

De nos jours encore, les vanneaux craignent l'altitude ; ils volent bas et font leurs nids dans les mottes de terre. Ce sont des animaux prudents qui préviennent leurs congénères en cas de danger.

Le crime de Dédale ne resta pas longtemps ignoré. Un homme, qui était sorti se promener le soir fatal, avait tout vu et avait dénoncé le coupable. Sachant qu'il n'aurait pas échappé au châtiment, Dédale partit avec son petit garçon Icare à destination de l'île de Crète.

Le roi de Crète, Minos, fut très heureux d'accueillir le fameux artisan : il cherchait justement un architecte capable de construire une prison parfaite pour le Minotaure. Celui-ci était un monstre à tête de taureau et au corps de géant, nourri par le cruel souverain de victimes humaines.

Dédale inventa pour lui un labyrinthe. Des multitudes d'esclaves cassèrent des pierres, scièrent des poutres et érigèrent des murs. Ils travaillaient du petit matin à la tombée de la nuit. Les sentiers s'entrecroisaient, contournaient les coins, s'enroulaient et se déroulaient comme un nœud de vipères. L'être monstrueux y fut enfermé et, lorsque l'ensemble fut terminé, Dédale sortit le dernier du sinueux labyrinthe en

effaçant lui-même toutes les traces indiquant le chemin à suivre, tant et si bien qu'il faillit s'égarer.

Minos organisa alors une grande fête en l'honneur de l'ingénieux inventeur. Mais ni la gloire ni les cadeaux ne donnèrent l'envie à l'artisan de rester en Crète. Il ne voulait pas demeurer chez ce roi tyrannique et sanguinaire, sa patrie lui manquait.

Chaque soir il allait avec son fils Icare sur la plage et, regardant la mer, fixait à l'horizon l'endroit où le ciel se fondait avec l'eau. Le pays natal de Dédale se trouvait là-bas.

D'abord, il espéra qu'un bateau surgissant des vagues le ramènerait chez lui. Mais personne n'aurait osé emmener quelqu'un que Minos ne voulait pas laisser partir.

Au lieu d'une voile, symbole d'espérance, le malheureux voyait toujours le même paysage : une mer déserte, des rochers, et des masses d'oiseaux tourbillonnant au-dessus de l'eau.

Il se mit alors à envier leur liberté. Eux, au moins, pouvaient voler au-dessus des montagnes et des mers ; ils ne connaissaient ni les frontières ni les obstacles. Bientôt, ces pensées l'obsédèrent jour et nuit. Il en perdit le sommeil.

Il étudia le dessin de leurs ailes, suivit attentivement leur vol du

regard et élabora un plan secret de fuite. Après avoir ramassé des plumes de différentes longueurs, il se mit en cachette à l'ouvrage en les assemblant avec des fils de lin, les petites d'abord, les grandes ensuite. L'ensemble fut fixé avec de la cire et délicatement courbé pour imiter la forme des ailes.

Il en construisit deux grandes pour lui et deux petites pour son fils.

Ayant achevé son travail, il le regarda avec satisfaction.

« La Crète appartient sans doute au roi », pensa-t-il, « mais le ciel est à moi. »

Le lendemain, Dédale réveilla Icare de bonne heure. Il attacha en premier ses propres ailes, les agita et s'éleva dans les airs. Puis il montra à son fils comment il devait se servir des siennes, tout comme un oiseau apprend à son petit à voler. Icare s'élança comme son père et se mit à rire de plaisir en tournoyant au-dessus des arbres et des falaises.

« Fais bien attention », recommanda l'artisan, « ne vole pas trop haut, car le soleil ferait fondre la cire et flamber tes ailes. Ne vole pas non plus trop bas, car les vagues te mouilleraient et t'alourdiraient avant de t'entraîner au fond de la mer. »

Dédale embrassa son fils et tous deux s'envolèrent. Le père allait en avant et se retournait sans cesse pour surveiller son élève qui suivait scrupuleusement ses instructions.

En bas, les bergers admiraient leurs évolutions en pensant qu'il s'agissait sûrement de dieux de l'Olympe se rendant sur terre pour voir comment vivent les hommes.

Les mains des pêcheurs qui tiraient leurs filets se mirent à trembler dès qu'ils les aperçurent.

Puis Dédale et Icare survolèrent la mer.

À leur vue, les rameurs cessèrent de ramer et fixèrent avec émerveillement ces deux points dans le ciel.

La Crète était déjà loin derrière eux et Dédale, heureux du succès de son entreprise, s'abandonnait à de joyeuses pensées sur sa patrie qu'il allait enfin retrouver. Quant à Icare, il battait l'air de ses ailes légères avec ravissement. Il aurait bien aimé s'élever un peu plus, mais, tant que son père se retournait, il n'osait pas lui désobéir. Maintenant que celui-ci, songeur, oubliait de le regarder, il en profita pour enfreindre ses ordres.

Il s'envola plus haut, encore plus haut ; grisé par l'altitude, il se mit à

chanter. Il s'approcha de l'équipage du dieu Soleil si près qu'il put admirer le char en or.

Mais pendant ce temps la chaleur faisait son effet et la cire des ailes fondait. De grosses gouttes jaunes tombèrent dans la mer. Les fils et les plumes se décollèrent et laissèrent passer le vent.

Icare battit l'air une dernière fois de ses bras nus et tomba en poussant un cri.

Il périt noyé tandis que les crêtes étincelantes des vagues rejetaient une poignée de blanc duvet.

Entendant la voix de son fils, Dédale se retourna et l'appela. Personne ne lui répondit. Le ciel immense était vide et la mer déserte.

Dédale se rapprocha de l'eau, la fouillant du regard. Il ne trouva que quelques plumes mouillées.

Le cœur brisé, il se posa sur une île proche et quitta ses ailes. Plongé dans une immense détresse, il resta assis toute la journée.

Le soir, lorsque le soleil eut achevé son chemin, la mer lui rapporta le corps de son fils et le déposa sur la plage. Il creusa alors une tombe sous le ciel étoilé.

Un oiseau solitaire se posa sur la terre fraîchement remuée : c'était un vanneau qui, oubliant pour une fois sa timidité, était venu rappeler à Dédale son meurtre d'autrefois.

Tel un homme traqué, celui-ci remit ses ailes et quitta l'île, tournant le dos à sa patrie. Il se posa en Sicile où il édifia des constructions plus magnifiques que jamais. Il conçut un lac artificiel et un château fort royal au sommet de rochers, mais il ne retrouva jamais la paix et le bonheur.

L'île où il enterra son fils a été appelée Icarie en souvenir de son tragique destin.

ORPHÉE

Dans une région de Grèce appelée la Thrace vivait, il y a très longtemps, un fameux aède : Orphée.
Il s'accompagnait avec une lyre et chantait si merveilleusement que personne ne pouvait résister à sa musique. Les oiseaux eux-mêmes l'écoutaient en silence et les animaux quittaient la forêt pour le suivre.
Le loup trottait à côté de l'agneau, le renard suivait le lièvre, sans qu'aucun animal cherchât querelle à un autre. Même les serpents quittaient leurs trous et les pierres s'écartaient pour faire un chemin devant Orphée.
Ses chansons arrêtaient le cours des rivières et les poissons sortaient de l'eau pour l'écouter.

Les hommes riaient ou pleuraient, selon que son chant était gai ou triste. Ils oubliaient tous leurs soucis. Les dieux, attirés eux aussi par la voix d'Orphée, se rendaient en suivant la Voie Lactée aux endroits où il chantait. .

De même les naïades quittèrent les vagues dès qu'elles entendirent les sons mélodieux. Orphée tomba amoureux de l'une d'elles, l'emmena avec lui et l'épousa. La nymphe Eurydice était aussi jolie que ses chansons et pendant quelque temps ils vécurent très heureux. Un jour, Orphée dut s'absenter et Eurydice resta seule. Dans sa solitude lui vint la nostalgie des prairies vertes et

douces où murmuraient les rivières et les sources. Là-bas, dans les eaux scintillantes, vivaient ses sœurs les naïades. Eurydice pensait souvent à elles ; aussi décida-t-elle de leur rendre visite. Elle partit en courant de chez elle, tant elle était pressée de les surprendre. Elle se hâtait par les raccourcis quand, soudain, elle ressentit une douleur aiguë au pied, qui inonda bientôt tout son corps. À terre, elle aperçut un serpent venimeux qui rampait dans l'herbe. Elle tomba évanouie sur le sol. La morsure était mortelle, son cœur cessa de battre. Eurydice était morte, et ni les pleurs de ses sœurs, ni le désespoir d'Orphée, qui était accouru, ne purent la ramener à la vie.

Orphée enterra Eurydice, et, avec elle, toutes ses chansons gaies. Tristement il erra par le monde, et ceux qui écoutaient ses nouvelles paroles avaient le visage ruisselant de larmes. Les feuilles des arbres soupiraient et les bêtes sauvages, les yeux humides, sortaient des profondeurs des forêts.

Orphée ne trouva la paix nulle part sur terre : il ne cessait de penser à Eurydice et à la joie qu'il avait perdue. Le temps n'adoucissait pas sa peine. Aussi, après sa longue marche, il décida de descendre sous terre, dans le monde inférieur où s'étendait l'ombre de la mort. Le dieu Hadès et

sa femme Perséphone gouvernaient ce royaume des âmes des défunts. Orphée voulait convaincre les dieux des Enfers de lui rendre son Eurydice, de lui permettre d'enfreindre la loi de la mort en la laissant revivre sur terre.

Il marcha vers l'Ouest, car c'était là que se trouvait, cachée sous de noirs rochers, l'entrée du royaume. Il s'avançait inlassablement, mais, ne trouvant rien, crut avoir perdu son chemin et se mit à chanter tristement son amour pour Eurydice.

Les arbres eux-mêmes furent émus : ils lui montrèrent le chemin avec leurs branches et l'herbe, saisie de pitié, courba ses brins dans la direction du monde des ténèbres.

Enfin, Orphée vit une rangée de cyprès immobiles et un amoncellement de noirs rochers disparaissant presque dans un épais brouillard gris. Il pénétra dans ce nuage de mort. Soudain, trois paires d'yeux flamboyants scintillèrent devant lui et un aboiement sauvage retentit. C'était Cerbère, le chien à trois têtes, l'effrayant gardien des portes du royaume, capable de reconnaître l'odeur des vivants. Orphée se mit à chanter et les trois gueules ensanglantées se turent. Le gigantesque chien se coucha et laissa passer Orphée. Tout en chantant, celui-ci descendit un sentier escarpé, évitant les endroits d'où

jaillissaient des flammes, bien qu'en l'entendant les flammes elles-mêmes se soient raidies et aient perdu de leur éclat.

L'intrépide voyageur se joignit à la foule silencieuse des ombres qui se pressaient sur les rives du Styx. Bientôt apparut la barque menée par le vieux Charon pour faire traverser le fleuve aux silhouettes grises. Orphée sauta à leur suite dans le bateau, mais Charon l'aperçut et refusa de l'emmener sur l'autre rive. Le malheureux Orphée se mit à chanter et fit pleurer le vieux nocher qui ne put se résoudre à l'abandonner. La barque fit la traversée et les âmes des morts allèrent se faire juger. Orphée, lui, partit à la recherche du roi du monde des profondeurs.

Il traversa une prairie hantée par les ombres de ceux qui, durant leur vie, n'avaient été ni bons ni mauvais ; il vit la région bénie des champs Elysées où se réjouissaient les âmes des hommes de bien, et il finit par arriver dans le lugubre Tartare. Les morts s'y repentaient de leurs mauvaises actions dans la souffrance et la torture. Sur le passage d'Orphée, la douleur disparaissait au son de sa voix. Les âmes tourmentées oubliaient leur peine en écoutant son chant. L'ombre du roi Tantale ne pensait plus à l'éternelle faim et à l'éternelle soif auxquelles les dieux l'avaient condamné. Celle de Sisyphe se reposait un moment de son vain travail, qui était de pousser un rocher au sommet d'une colline pour le voir ensuite dévaler la pente... et recommencer éternellement.

Au milieu de ce royaume, assis sur un trône noir, on pouvait voir le roi du monde souterrain, l'impitoyable Hadès. Ses cheveux noirs tombaient sur son front et ses yeux froids brillaient dans sa figure blanche. Perséphone était à ses côtés, sa face blanche émergeant d'un vêtement noir, telle la lune pâle qui apparaît derrière un nuage. Cette vision fit trembler Orphée, mais son amour fut plus fort que sa peur et il se mit à chanter devant les souverains.

Il raconta son amour pour Eurydice et la mort qui l'avait fauchée en pleine jeunesse ; il dit sa peine et son immense chagrin, puis supplia les dieux de lui rendre sa femme. De toute manière, nul n'échappe au dernier voyage, et ils reviendraient un jour, ensemble, au royaume des morts.

Émus, Hadès et Perséphone écoutèrent son chant.

« J'exaucerai ton vœu », dit le roi, quand Orphée eut fini de chanter.

« Eurydice peut retourner parmi les vivants. Mais ne te retourne pas pour voir ta femme tant que tu n'auras pas quitté le royaume des ombres. Si tu la regardes avant d'atteindre la surface, elle retournera dans les ténèbres et disparaîtra pour toujours. »

Orphée remercia chaleureusement, et, sur l'ordre du dieu Hadès, l'ombre d'Eurydice s'approcha doucement pour suivre son mari.

Ils empruntèrent le sentier qui accédait à la terre et remontèrent dans la barque de Charon pour traverser le Styx. Puis ils s'avancèrent à travers une zone où régnait un silence impressionnant. Orphée marchait devant, essayant d'entendre le pas d'Eurydice. Comme il ne pouvait percevoir aucun bruit, il fut saisi d'une crainte terrible. Il pensa qu'Eurydice avait pu tomber, qu'elle avait pu perdre son chemin ou avoir été frappée par un diabolique coup du sort.

Tout à sa peur, Orphée oublia sa promesse et se retourna. L'image d'Eurydice se brouilla devant ses yeux et sa femme bien-aimée mourut une seconde fois. Comme un dernier baiser, une brise légère toucha le front d'Orphée, le laissant pétrifié d'horreur, tout seul sur le sentier, entouré de silence. Le désespoir submergea Orphée, il courut comme un fou au bas du sentier en appelant Eurydice. Mais ce fut en vain, cette fois, qu'il supplia le nocher de lui faire traverser le fleuve.

Pendant sept jours, Orphée erra le long du Styx, espérant pénétrer encore dans le royaume des morts. Sept jours, il vécut de ses seules larmes ; en vain. Tristement il revint sur terre et se réfugia dans une région montagneuse désolée. Il chanta son malheur aux rochers et au vent. Les arbres des vallées l'entendirent et se mirent en mouvement au son de sa voix. Avant qu'il ait fini, un épais buisson l'entourait. La nudité de la montagne s'était recouverte du vert des fourrés, et des oiseaux sauvages, suivis d'autres animaux, élisaient domicile dans la nouvelle forêt. Sa chanson atteignait même, grâce au vent, les habitations des hommes, qui, l'entendant, l'écoutaient avec sympathie.

Pendant ce temps, un groupe de Ménades, prêtresses de Dionysos, dieu du vin et de la vigne, se promenaient à travers la campagne. Ivres et à moitié folles, ces femmes surgirent dans le bosquet où Orphée exhalait sa plainte. Ses lamentations mirent en colère les exubérantes prêtresses, et l'une d'elles lui jeta son thyrse, bâton entouré de feuilles de vigne, tandis qu'une autre le visait avec une pierre. Mais ni le thyrse ni la pierre n'atteignirent l'aède. Saisies de

frénésie, les Ménades se mirent l'une après l'autre à ramasser et à lui jeter des pierres, et sous leurs cris la chanson d'Orphée faiblit. C'est seulement alors que les pierres atteignirent leur cible, prenant la couleur de son sang. Il cessa de chanter et il cessa de vivre. Quant aux Ménades, tout à leur œuvre démoniaque, elles massacrèrent aussi les animaux, encore sous le charme, qui entouraient Orphée.

L'annonce de la mort d'Orphée se répandit partout. Non seulement les hommes mais toute la nature furent en deuil. Les arbres perdirent leurs feuilles en témoignage de leur peine, les rochers pleurèrent et le niveau des eaux monta à cause de toutes les larmes versées. Les nymphes des forêts et des eaux dénouèrent leurs cheveux et mirent des vêtements noirs.

L'âme d'Orphée descendit dans le royaume des ténèbres. Cette fois, Charon ne lui refusa pas le passage. L'ombre d'Orphée rejoignait celle des autres morts. Orphée reconnut

de loin son Eurydice et se hâta à sa rencontre. Il pourrait maintenant la regarder et même se retourner pour l'admirer : elle ne disparaîtrait plus.

Le dieu Dionysos ne laissa pas ce crime impuni. Il changea les jambes des Ménades en racines, leurs corps en troncs d'arbres et leurs branches furent à jamais secouées par le vent.

Les Muses, déesses de l'art et de la sagesse, enterrèrent le corps d'Orphée. Sa tête, arrachée par les Ménades, flotta avec sa lyre au fil des eaux du fleuve Hebros jusqu'à la mer, où elle atteignit l'île de Lesbos.

Depuis ce jour, les rossignols y chantent le plus merveilleusement du monde et l'île a vu naître des aèdes renommés ainsi que la fameuse poétesse Sapho. Comme elle descendait le cours de la rivière, la lyre d'Orphée continuait à jouer doucement et sa tête murmurait une chanson dont, pour la dernière fois, les eaux et les rives se faisaient l'écho.

C'est ainsi qu'aujourd'hui encore les rivières gardent le souvenir d'Orphée et chantent sa chanson.

ORESTE

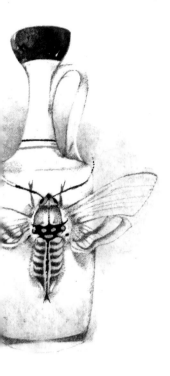

Les ruines de la cité vaincue de Troie se profilaient tristement dans le ciel, et seuls les oiseaux de proie à la recherche de charognes rompaient le silence de leurs cris. Pourtant la côte était encore animée. Les Grecs chargeaient leur butin sur les navires qui débordaient d'or, de vêtements précieux et d'objets en argent. Les troupes de femmes emmenées en esclavage encombraient les ports. Les uns après les autres, les bateaux fendaient les vagues écumantes et quittaient à jamais le rivage dévasté.

Le roi Agamemnon, descendant de la famille de Tantale, et qui avait commandé l'expédition punitive contre Troie, rentrait aussi chez lui avec sa suite. Pendant les dix années qu'avait duré le siège de la ville, il n'avait pas vu son pays natal de Mycènes. Il ne pouvait imaginer que ce retour serait sa perte.

Égisthe, cousin d'Agamemnon, avait longtemps convoité son trône et cherché le moyen de s'en emparer. Il n'avait pas pris part à la guerre mais était resté à Mycènes. L'absence du roi avait favorisé ses projets. Grâce à de fourbes conseils et à de sournoises flatteries, il avait gagné les faveurs de la reine Clytemnestre au point que celle-ci lui promit son aide. En son cœur, elle ne pouvait pardonner à son époux le sacrifice de leur fille Iphigénie.

Pour servir ses noirs desseins, Égisthe plaça des sentinelles le long de la côte.

« Surveillez attentivement l'horizon et la mer », leur recommanda-t-il. « Et allumez un feu si vous apercevez dans le lointain les voiles de la flotte royale. La fumée me signalera, au palais, qu'Agamemnon revient. »

Bientôt des flammes s'élevèrent sur le rivage. Le traître comprit alors que le moment fatal approchait. Clytemnestre, prévenue à temps, décora promptement le palais pour célébrer le retour de son mari et ordonna aux serviteurs de dérouler des tapis rouges sur le chemin menant à la demeure royale. La grande nouvelle se répandit à travers toute la ville et le peuple se rassembla sur le passage du fameux guerrier.

Aussitôt débarqué, Agamemnon embrassa son sol natal. Un char l'attendait sur le port.

Le roi arriva bientôt à Mycènes, où l'acclamait une foule nombreuse. La reine, souriante, sortit l'accueillir en simulant une joie profonde. Elle l'invita à fouler le tapis pourpre et à faire dans son palais une entrée solennelle. Le souverain, agréablement surpris par tant d'honneurs, entra dans le palais.

« Tu dois être épuisé après ton voyage », lui dit Clytemnestre,

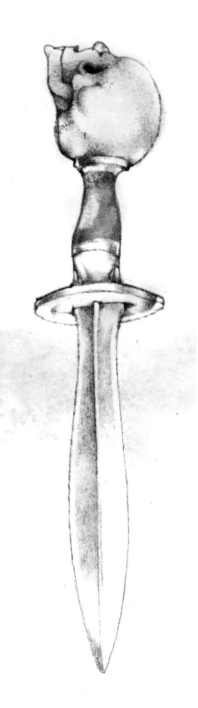

« aussi ai-je ordonné aux servantes de te préparer un bain. »

Agamemnon, touché par la sollicitude de sa femme, la remercia. À peine s'était-il dévêtu et avait-il déposé ses armes qu'Égisthe et la reine se jetèrent sur lui et le mirent à mort.

Les cris du roi franchirent les murailles du palais et créèrent une grande confusion parmi le peuple. Les plus prudents conseillèrent d'appeler les autres citoyens à la rescousse, mais les plus téméraires se saisirent de leurs épées et se précipitèrent dans le palais.

« Ils ont assassiné le roi ! » criaient-ils tous, « Égisthe veut s'emparer du pouvoir ! »

Mais le traître avait prévu une telle révolte et s'était bien préparé à y faire face. Ses hommes armés repoussèrent facilement les assaillants mal organisés et firent triompher la volonté de leur maître.

Égisthe s'était emparé du trône par la force : c'est sur elle qu'il assit son pouvoir. Il prit la place du défunt souverain et épousa Clytemnestre.

Agamemnon laissait comme descendance un jeune fils et deux filles. L'aînée, Électre, craignant pour la vie de son jeune frère, le fit partir en cachette chez un parent éloigné en lui demandant de l'élever. La plus jeune, qui avait un caractère plus faible que sa sœur, obéit à sa mère sans se poser trop de questions. Mais à Électre chaque pièce du palais rappelait le meurtre de son père et elle ne pouvait voir sans horreur Égisthe revêtir le manteau de pourpre du défunt. Sans cesse, elle reprochait son forfait à Clytemnestre tandis que celle-ci la traitait en esclave. Personne n'aurait pu croire que cette maigre jeune fille aux vêtements minables était l'enfant du roi Agamemnon ; elle travaillait au palais comme une servante.

Pendant sept ans l'usurpateur régna avec Clytemnestre, pendant sept ans Électre supporta ses souffrances.

Seule la pensée de son frère la soutenait dans son chagrin. Elle était sûre qu'Oreste reviendrait venger son père. Mais les jours, les mois et les années passaient, et Électre commençait à perdre confiance.

Alors qu'elle allait atteindre le fond du désespoir, elle vit un vieillard inconnu pénétrer dans la ville. Deux jeunes gens l'accompagnaient, et bien que tous trois fussent recouverts de poussière, et vinssent manifestement de faire un long voyage, ils ne s'arrêtèrent dans aucune auberge mais allèrent droit au palais royal, devant lequel ils s'arrêtèrent. Le vieillard se tourna vers l'un de ses compagnons et dit :

« Écoute bien, Oreste, ce que je vais te dire, moi, ton père nourricier. Tu ne reconnais pas ta patrie et les citoyens ne se souviennent pas de toi. Pourtant tu es devant le palais de ton père, le fameux Agamemnon. C'est le félon Égisthe, dont les mains sont tachées de sang, qui règne à sa place. Mais la vengeance est proche. Va avec Pylade t'incliner sur le tombeau du roi défunt. Moi, je vais m'introduire chez la reine ainsi que nous en avons convenu. »

Oreste obéit à son père adoptif et partit avec Pylade, son fidèle ami d'enfance, se prosterner devant le coin de terre qui avait reçu la dépouille d'Agamemnon.

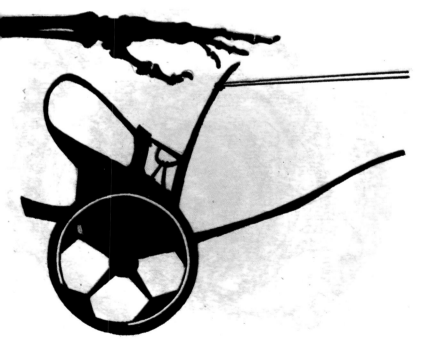

Le vieillard surprit la reine au palais tandis qu'à son habitude elle réprimandait Électre.

« Je cherche le roi », dit-il, « j'ai de bonnes nouvelles pour lui. »

« Égisthe est absent », répondit-elle, « mais si les révélations que tu veux lui faire sont agréables pour lui, elles le sont aussi pour moi puisque je suis sa femme. »

« Rien ne pourrait te faire davantage plaisir », rétorqua-t-il dans un sourire : « Oreste est mort. »

À ces mots, Électre poussa un cri et éclata en sanglots. Elle apprenait la disparition de son frère, alors que depuis tant d'années elle attendait son retour ! Qui donc allait venger son père ?

Quant à Clytemnestre, elle réprima difficilement un soupir de soulagement. Depuis sept ans elle craignait qu'il ne revienne la punir de son forfait. La veille même, elle avait rêvé de son châtiment et s'était réveillée le front trempé de sueur. Mais elle s'était inquiétée inutilement, puisque Oreste était mort !

« Parle, parle ! » pressa-t-elle le vieillard, « raconte-moi la mort de mon pauvre fils. »

« Il gagnait très souvent les compétitions sportives, mais la dernière lui a été fatale. Pourtant au début nous pensions tous qu'il serait une fois de plus victorieux, car il était le champion des conducteurs de chars à deux roues. Les chevaux s'étaient élancés en soulevant un nuage de poussière, Oreste et les autres concurrents étaient en train de contourner le poteau qui marquait le point le plus éloigné du circuit et revenaient au triple galop. Alors l'attelage de l'un des participants devint fou et entra en collision avec celui qui le suivait. Les autres jeunes

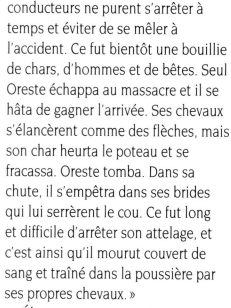

conducteurs ne purent s'arrêter à temps et éviter de se mêler à l'accident. Ce fut bientôt une bouillie de chars, d'hommes et de bêtes. Seul Oreste échappa au massacre et il se hâta de gagner l'arrivée. Ses chevaux s'élancèrent comme des flèches, mais son char heurta le poteau et se fracassa. Oreste tomba. Dans sa chute, il s'empêtra dans ses brides qui lui serrèrent le cou. Ce fut long et difficile d'arrêter son attelage, et c'est ainsi qu'il mourut couvert de sang et traîné dans la poussière par ses propres chevaux. »

Électre ne put supporter cette description et s'enfuit du palais pour pleurer seule sans être vue.

À la fin de ce récit, Clytemnestre rayonnait de bonheur. Elle invita le messager à sa table et ordonna qu'on lui apporte à manger et à boire. Le père adoptif d'Oreste accepta sans sourciller ces marques d'honneur.

« Je serais heureux d'attendre le retour du roi », dit-il, « et de lui confirmer la nouvelle. D'ailleurs deux jeunes gens vont apporter l'urne contenant les cendres d'Oreste. »

La reine servit elle-même son invité et continua à le questionner. Chacune des réponses de l'étranger la rassurait sur son avenir.

Pendant ce temps Électre, cachée dans une pièce du palais, se demandait si elle ne ferait pas mieux

de mourir. Elle aurait volontiers vengé son père elle-même si sa fatigue ne l'avait pas empêchée de soulever une épée. Sa sœur la découvrit ainsi accablée par ses tristes pensées.

« Électre », s'écria-t-elle joyeusement, « je suis allée sur la tombe de notre père, et devine ce qu'il y avait dessus ? Quelqu'un y avait apporté des fleurs et au milieu des guirlandes il y avait une boucle de cheveux exactement de la même couleur que les tiens. Personne d'autre qu'Oreste n'aurait pu faire cela. Qui d'autre aurait sacrifié une mèche ? Je suis follement heureuse, ma chère sœur. Nous allons sûrement voir notre frère aujourd'hui et tu cesseras de te tourmenter ! »

Électre l'écouta avec stupéfaction. Fallait-il la croire ou faire confiance à l'étranger ? Et qui aurait pu déposer une boucle de cheveux sur la tombe de son père ?

Ce nouvel espoir lui donna de nouvelles forces. Si Oreste était là, l'heure de la revanche avait sonné. C'est pourquoi elle ne troubla pas sa cadette avec le récit du vieillard. Dans son agitation et son espoir de revoir son frère, elle sortit sur les marches du palais.

C'est juste à ce moment qu'arrivèrent Oreste et Pylade. La jeune fille ne put reconnaître, après tant d'années de séparation,

celui qu'elle attendait. Lui non plus ne prêta pas attention à sa sœur si pauvrement vêtue, mais il lui adressa la parole comme à une servante :

« Emmène-nous chez la reine et dis-lui que nous lui rapportons l'urne funéraire de son fils. »

Alors Électre remarqua l'urne que le jeune homme tenait dans ses mains et ses yeux se remplirent de larmes. Elle enlaça le récipient aussi tendrement qu'elle aurait enlacé son frère, et gémit :

« Ainsi c'est donc bien vrai ! Mon frère revient, mais il n'est que cendres et silence. Pourquoi ne suis-je pas morte à sa place ? Le robuste Oreste est mort et la faible Électre vit. Quelle sera la joie du palais ! Les meurtriers peuvent dormir tranquilles, moi seule étoufferai de chagrin. »

Le jeune homme reconnut alors sa sœur et devant sa douleur ne put continuer à jouer la comédie.

Prenant pitié d'elle, il lui chuchota :
« N'embrasse pas l'urne, les cendres d'Oreste n'y sont pas. »

« Mais où sont-elles donc, où est-il enterré ? » demanda-t-elle avec surprise.

« Nulle part, parce que l'usage interdit que l'on enterre les vivants. »

« Oreste est vivant ? » répéta-t-elle avec méfiance en regardant l'étranger.

Alors celui-ci lui montra sa main ornée d'une bague qu'elle lui avait

donnée au moment de son départ. Électre le dévisagea avec insistance et reconnut son frère. Une joie folle s'empara d'elle et elle cria :

« Oreste est vivant, il est vivant ! »

Le vigilant père adoptif l'entendit et se précipita hors du palais. L'exclamation d'Électre avait hâté l'accomplissement du plan.

« Dépêche-toi, Oreste, ton heure est venue ! » cria-t-il à son protégé. Le jeune homme dégaina son épée et bondit à l'intérieur du palais suivi de sa sœur.

Clytemnestre se tenait pétrifiée au milieu de la pièce comme si elle avait été taillée dans le marbre. Elle aussi avait entendu le cri de sa fille et, à la vue d'Oreste qui accourait suivi de sa sœur, elle comprit que le fils venait venger son père.

Le prince s'arrêta devant elle, mais son père adoptif et Électre s'employèrent à raviver sa haine, alors il leva son épée et tua sa mère.

Étourdi par l'acte affreux qu'il venait de commettre, il tenait toujours son arme à la main quand Égisthe entra précipitamment. Il avait appris par les serviteurs la mort d'Oreste et se hâtait de venir écouter le récit de sa fin. Mais à la place de l'urne, il vit la malheureuse Clytemnestre avant de tomber, frappé à son tour, par le bras vengeur.

À peine le peuple de Mycènes avait-il appris le retour du jeune prince et le châtiment qu'il avait infligé aux meurtriers d'Agamemnon que la foule commença à se rassembler aux portes du palais. Tous voulaient souhaiter la bienvenue au fils de leur roi héroïque.

Un homme titubait en sortant du parc. Il ne faisait attention à personne mais agitait les bras pour chasser des démons invisibles. Cet homme était Oreste : dès qu'il avait accompli sa vengeance, les Érinyes, déesses chargées de punir les parricides, s'étaient emparées de lui. Elles tournoyaient autour de sa tête en lui chantant un chant affreux au sujet de la mort de sa mère et des larmes de sang coulaient de leurs yeux.

Le peuple fut confondu d'horreur à la vue du malheureux prince. Les Érinyes le pourchassaient partout. Il dut quitter Mycènes, et erra à travers le monde. Le terrible chant des déesses l'accompagnait partout et le remplissait de désespoir. Son fidèle ami Pylade ne l'abandonna pas. Ensemble, ils allèrent consulter l'oracle de Delphes pour savoir comment se débarrasser des cruelles Érinyes.

« Allez en Tauride », leur fut-il répondu, « et rapportez la statue d'Artémis qui est tombée des cieux. »

Suivant ce conseil, les deux compagnons se mirent en route vers le lointain pays. Un roi cruel y régnait. Tous les étrangers qui étaient capturés sur ses terres étaient sacrifiés à la déesse Artémis. Oreste et Pylade savaient quel sort les attendait s'ils échouaient dans leur mission, aussi restèrent-ils cachés pendant le jour et ne marchèrent-ils que pendant la nuit. Aidés par l'obscurité, ils se préparaient à enlever la statue.

Ils se glissèrent dans le temple mais commirent l'imprudence d'échanger quelques paroles qui éveillèrent les gardes. Ainsi ils furent capturés et traînés devant le souverain dès le lendemain matin.

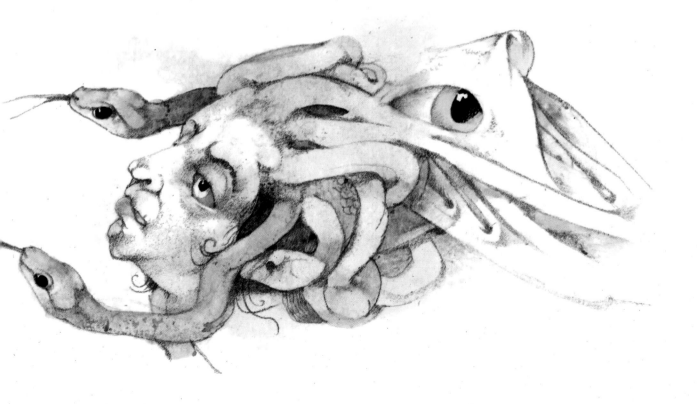

Celui-ci les condamna aussitôt à être sacrifiés à la déesse Artémis.

Sans plus attendre, ils furent emmenés jusqu'à l'autel devant lequel ils durent s'agenouiller tandis qu'une prêtresse brandissait au-dessus de leur tête un glaive acéré. À cet instant Oreste, se souvenant de sa sœur Iphigénie qui avait été aussi autrefois immolée à la même divinité, murmura comme un adieu à la vie :

« Iphigénie. »

La prêtresse entendit son nom et sa main retomba, inerte. Elle se retourna vers le roi et lui dit :

« De mauvais présages m'ordonnent de remettre le sacrifice à plus tard. Que les gardes reconduisent les prisonniers. Demain, la déesse acceptera sûrement ton offrande. »

Le roi fut déçu, mais il ne voulut pas s'opposer à la volonté divine.

Oreste et Pylade se relevèrent. La prêtresse s'approcha d'eux et demanda doucement au malheureux prince :

« Comment connais-tu ce nom ? »
« Iphigénie était ma sœur », répondit-il, « et elle mourut de la même façon que nous allons périr demain. »

La jeune femme se retint difficilement d'embrasser Oreste et lui murmura avec émotion :

« Je suis ta sœur Iphigénie. Au moment de mon exécution la déesse m'a fait transporter ici par un nuage et depuis des années je lui sers de prêtresse. N'aie pas peur, ô mon frère, je te sauverai ! »

Cette nuit-là, les étoiles scintillèrent pour montrer leur chemin à trois fugitifs : Oreste, Pylade et Iphigénie fuyaient la Tauride en emportant la statue de la déesse Artémis pour que l'âme du prince trouve enfin la paix.

Mais pendant longtemps les Érinyes chantèrent encore leur horrible chant aux oreilles d'Oreste. Enfin Pallas Athéna prit pitié de lui et fit cesser son châtiment. Les déesses s'envolèrent et Oreste monta sur le trône de Mycènes.

Le chant des Érinyes ne s'éleva plus, mais celui qui l'a entendu une fois peut-il l'oublier ?

LA GUERRE
DE TROIE

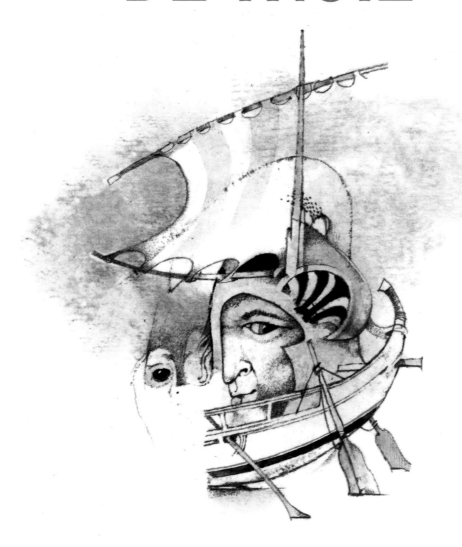

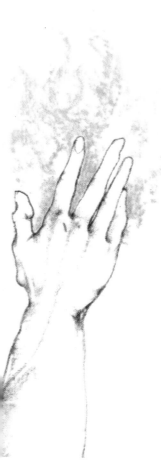

Dans l'ancien temps, en Asie Mineure, non loin de l'Hellespont, était une ville du nom de Troie.

Dans sa puissante enceinte régnaient le roi Priam et la reine Hécube. Une nuit, la reine fit un rêve très étrange : un fils lui était né, mais lorsqu'elle voulait le prendre dans ses bras il se transformait en une torche ardente qui brûlait tout le palais, les maisons avoisinantes et toute la ville.

Effrayée par ce songe, la reine s'éveilla et le raconta à son époux. L'aurore commençait à peine à se lever que déjà le roi avait convoqué des augures pour interpréter le rêve royal. Ceux-ci mirent beaucoup de réticence à s'expliquer. Un nouveau petit prince allait naître et il serait la cause de la destruction totale de la cité de Troie. Si le roi voulait sauver sa vie, celle de sa femme, celles de ses enfants et de tous les citoyens, s'il voulait que soit épargnée la ville, il devrait supprimer l'enfant. C'était choisir entre la mort d'un seul ou le trépas de tous !

Bientôt, en effet, Hécube mit au monde un fils. Ce fut pour elle et pour Priam une cruelle épreuve que de le condamner, mais il y avait à cela la raison d'État. Les serviteurs aussi eurent beaucoup de chagrin en voyant le tragique destin d'un si bel enfant, mais ils avaient peur de désobéir au roi, car ils connaissaient

l'horrible prophétie. Ils emportèrent donc le nouveau-né dans la montagne et s'enfuirent rapidement, tant les cris et les pleurs de leur petite victime leur étaient insupportables.

Mais l'enfant ne gémit pas longtemps : une ourse le trouva, le renifla soigneusement, le lécha, et l'entraîna avec mille précautions dans son antre où l'attendaient ses propres rejetons. Le prince grandit ainsi parmi les animaux. L'ourse le nourrit et les oursons jouèrent avec lui. Il devint grand et fort, apprit à monter aux arbres et à courir, mais la seule chose qu'il ne put apprendre de ses parents adoptifs fut le langage humain.

Un jour, un berger recherchait un mouton égaré lorsqu'il aperçut le garçon qui jouait dans une clairière. Il l'emmena avec lui dans sa hutte et désormais l'enfant partagea la vie des gardiens de troupeaux. Il les aida dans leur tâche et ses protecteurs lui apprirent à parler.

Il devint rapidement un vigoureux jeune homme et reçut le nom de Pâris. Il protégeait les bêtes qui lui étaient confiées contre les voleurs et les oiseaux de proie, et il était très aimé de tous ceux qui l'entouraient.

Pâris avait l'habitude de s'asseoir au milieu de ses moutons et de jouer de la flûte en les surveillant.

Un matin, alors qu'il allait porter l'instrument à ses lèvres, trois magnifiques déesses apparurent soudain devant lui.

C'étaient Héra, la femme de Zeus, Athéna, la divinité de la sagesse, protectrice des hommes braves et intelligents, et Aphrodite, incarnation de l'amour et de la beauté.

À leur vue le jeune homme devint muet d'étonnement. Héra lui tendit une pomme d'or et lui dit :

« Pâris, sois l'arbitre de notre querelle. Chacune de nous veut avoir ce fruit merveilleux, mais il ne doit revenir qu'à la plus belle d'entre nous. Regarde-nous bien et dis-nous à qui appartiendra la pomme. Si tu me la donnes, tu gouverneras sur toute l'Asie, tu seras le roi le plus puissant du monde. »

Athéna sourit :

« Si je reçois le fruit », dit-elle, « tu seras le plus grand commandant de tous les temps. Tu gagneras toutes les guerres et les portes des cités ennemies s'ouvriront toutes seules à ta vue. »

Alors s'éleva la douce voix d'Aphrodite :

« Si grâce à toi je suis élue, je te promets de te faire épouser la plus belle femme de la terre. »

Pâris hésita un moment, puis tendit la pomme à la déesse Aphrodite. Ce faisant, il provoqua la colère d'Héra ainsi que celle d'Athéna, et décida ainsi de son sort et de celui de la cité de Troie.

Pendant ce temps se préparait dans la ville une grande fête durant laquelle allaient se dérouler des joutes athlétiques et des concours agricoles. Les bergers y envoyèrent Pâris avec un taureau. Jamais le jeune homme n'avait vu une aussi grande cité. Il regarda avec émerveillement les immenses édifices de pierre et les temples. Mais ce qui l'attirait le plus était le vaste stade. Et comme il était fort, courageux et jeune, il fut porté sur les listes des concurrents. Il se défendit si bien qu'il remporta les jeux devant ses frères et même devant son aîné Hector.

Le roi Priam le fit appeler et lui demanda d'où il venait. Pâris lui raconta l'histoire de sa vie et le souverain reconnut son fils dans ce bel étranger. Le père étreignit avec émotion son enfant vainqueur, sans plus se soucier des vieilles prophéties, et l'accueillit au palais. Le prince y retrouva sa mère, ses frères et ses sœurs.

Mais la déesse Aphrodite ne l'avait pas oublié. Bientôt elle lui apparut et lui dit :

« Je viens exaucer ton vœu. Tu as choisi comme récompense d'avoir pour épouse la plus belle femme de la terre, je vais donc t'aider. La plus jolie de toutes est Hélène, la femme du roi de Sparte Ménélas. Zeus, qui est son père, lui a donné une beauté divine. Aussi ne perds pas de temps mais commence à construire un bateau. Je ne t'abandonnerai pas. »

Inspiré par la divinité de l'amour, Pâris se mit à construire un robuste navire. Il se prépara pour son voyage au royaume du roi Ménélas.

Son père, Priam, était fort chagriné à l'idée d'une aussi périlleuse aventure. Quant aux augures, ils étaient terrifiés en reconnaissant dans l'enlèvement d'Hélène le début du désastre qui devait s'abattre sur la cité. C'est en vain que le roi, la reine,

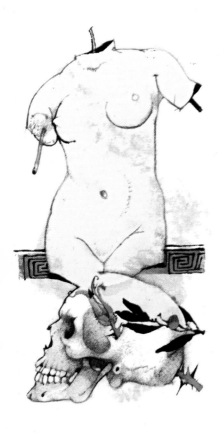

ses frères et ses sœurs essayèrent de ramener Pâris à la raison. Il ne voulait pas s'interrompre dans sa tâche et se sentait fort de l'aide d'Aphrodite.

Enfin la quille du bateau toucha l'eau et la proue écarlate fendit les vagues. Pâris s'embarqua avec ses marins en dépit de tous les mauvais présages. La déesse fit souffler un vent propice et, toutes voiles dehors, le navire glissa sur la mer comme s'il avait eu des ailes.

Le roi de Sparte, Ménélas, reçut affablement son hôte et lui offrit l'hospitalité. Il ne pouvait se douter que le jeune homme était venu dans son royaume afin d'y semer un grain maléfique, dont la moisson serait récoltée par la mort sur un lointain champ de bataille. Aphrodite provoqua la fatale rencontre entre Pâris et Hélène et éveilla de tendres sentiments dans le cœur de cette dernière. Elle tomba amoureuse du prince et celui-ci s'éprit de sa grâce. Bafouant toutes les règles de l'hospitalité qui sont chères aux dieux comme aux rois, il enleva l'épouse de Ménélas sur son bateau.

Les cœurs des marins se mirent à battre en la voyant : ils crurent un instant que la lune argentée était descendue parmi eux, tellement sa beauté rayonnait dans la nuit. Le navire fendit les vagues et la déesse complice

les conduisit vers les côtes de Troie.

Dès que le roi Ménélas eut découvert le forfait, il se précipita à Mycènes où régnait son frère le roi Agamemnon. Il le consulta sur la façon de punir le traître. Le même jour, des messagers galopèrent à travers toute la Grèce pour inviter tous les héros du pays à s'unir dans une expédition punitive contre Troie.

Le bruit de leurs préparatifs retentit dans toute la contrée. Les épées étaient affûtées, les arcs tendus, les casques polis ; dans tous les ports des haches fendaient le bois massif, des flottes nouvelles se construisaient, des rames se fabriquaient, des voiles se tissaient.

Enfin les Grecs quittèrent leurs femmes et leurs enfants, leurs pères et leurs mères et partirent en Aulis, lieu choisi pour le rassemblement des armées terrestres et maritimes.

Seul le roi d'Ithaque, Ulysse, ne voulait pas se séparer de sa femme Pénélope et de son petit garçon, Télémaque. Ce n'était pas un souverain très puissant, mais chacun le respectait pour sa bravoure, sa sagesse et sa ruse. C'est pourquoi les messagers qui étaient venus le chercher ne voulaient pas repartir sans lui. Ils le cherchèrent dans son palais et dans son jardin, mais ne purent le trouver. Après quelques heures, ils le découvrirent dans un

champ où il simulait la folie : il avait
attelé ensemble sous le joug un
bœuf et un cheval, et s'était mis à
labourer. Mais au lieu de graines il
semait du sel. Les envoyés furent très
perplexes devant le roi, qui souriait
béatement en leur tenant des propos
absurdes. Ils l'auraient quitté ainsi si
l'un d'eux n'avait eu l'idée d'éprouver
le souverain. Il mit le fils d'Ulysse par
terre devant le soc de la charrue.
Le père s'arrêta aussitôt et prit
Télémaque dans ses bras. Trahi par ce
réflexe d'homme qui n'a pas du tout
perdu la raison, Ulysse dut se joindre
aux autres héros.

Achille aussi faisait partie de
l'expédition. C'était le guerrier le plus
brave de Grèce et on le disait
invulnérable. Lorsqu'il était né, sa
mère la nymphe Thétis avait voulu
savoir quel serait son destin. Quand
elle apprit qu'il deviendrait un héros
fameux mais mourrait jeune au cours
d'une bataille, elle le plongea dans
l'eau magique du Styx en le tenant
par le talon. Le liquide miraculeux le
rendit invincible, sauf s'il était frappé
au talon, qui n'avait pas été immergé.
Comme beaucoup d'autres héros,
il avait été élevé par le sage et
robuste centaure Chiron. Vêtu
d'une magnifique armure, beau
comme un jeune dieu, Achille
s'embarqua donc avec son meilleur
ami, le fidèle Patrocle.

Douze cents bateaux grecs dont le roi Agamemnon assurait le commandement se rassemblèrent. Avant le départ, les combattants se réunirent sous un grand platane pour offrir des sacrifices aux dieux immortels. C'est alors que Zeus leur envoya un présage : un serpent s'enroula autour du tronc de l'arbre et étouffa huit jeunes oiseaux avec leur mère, puis il se changea en pierre. Les oracles interprétèrent cet augure en disant que la guerre durerait neuf ans et au bout du dixième Troie serait vaincue.

La flotte était prête ; les Grecs n'attendaient plus qu'un vent favorable. Les voiles pendaient dans le vide et pas une feuille ne bougeait sur les arbres. La déesse de la chasse, Artémis, s'était brouillée avec le roi Agamemnon parce qu'il avait tué sa biche favorite, aussi retenait-elle au port l'armée du souverain. Cette situation se prolongea un certain temps jusqu'à ce que les prêtres conseillent au roi d'apaiser par un sacrifice la colère divine.

« Offre-lui ta fille Iphigénie », lui dirent-ils.

Agamemnon hésita devant une aussi cruelle exigence, mais le succès de l'expédition était en jeu. Aussi fit-il porter une lettre à la princesse, lui demandant de le rejoindre au camp. À peine le messager fut-il parti qu'il réalisa l'atrocité de son acte et il écrivit à nouveau à sa fille en lui disant de rester chez elle. Malheureusement, Ménélas vit le second courrier et l'intercepta. Il craignait, si la déesse n'était pas satisfaite, de n'être jamais vengé. C'est pourquoi Iphigénie, obéissant au premier vœu de son père, se mit en route pour le retrouver. Agamemnon, désespéré, dut l'accueillir, et les prêtres commencèrent à préparer le sacrifice. Lorsqu'ils vinrent la chercher et la conduisirent à l'autel, le malheureux roi se voila la face. Soudain le brouillard tomba, le vent prit Iphigénie dans ses ailes et l'emporta en Tauride où elle devint prêtresse de la divine Artémis. La déesse réconciliée substitua à Iphigénie une biche.

Une fois la déesse apaisée, une brise favorable fit frissonner la mer et gonfler les voiles. Les bateaux purent enfin quitter le port.

Après une longue traversée, les sentinelles troyennes aperçurent un jour les mâts et les voiles de la flotte ennemie. Tous les guerriers de la ville s'élancèrent à sa rencontre les armes à la main, sous le commandement du fils aîné de Priam : Hector. Ils espéraient pouvoir empêcher le débarquement.

Une prophétie avait dit aux Grecs que le premier qui poserait le pied sur le sol troyen rencontrerait la mort. À peine le premier navire avait-il atteint la côte qu'un jeune homme sauta à terre, choisissant librement son destin. Les troupes se précipitèrent derrière lui et les Troyens durent battre en retraite. Le premier pas d'Achille sur ce territoire étranger fut tellement ferme qu'une source jaillit sous son talon. Il se mit à se battre avec une énergie farouche, si bien que ses adversaires, dûment refoulés et terrifiés à la vue de son glaive et de son armure.

scintillante, se replièrent derrière les murs de la ville.

Les Grecs tirèrent alors leurs bateaux sur la plage, établirent leur camp et l'entourèrent d'une palissade. Autour de la tente d'Achille fut élevé un mur de solides poteaux. La porte en était si lourde que trois hommes arrivaient à peine à la soulever. Seul Achille, le héros, pouvait l'ouvrir.

Chaque jour les assaillants firent des incursions en territoire ennemi, et ils revenaient toujours avec un riche butin. Pourtant la cité de Troie résistait encore à toutes les attaques. Pendant neuf ans la victoire oscilla entre les deux camps, pendant neuf ans les veuves troyennes pleurèrent leurs maris et la terre troyenne s'imprégna du sang grec.

La dixième année, une violente querelle opposa Achille à Agamemnon au sujet du partage du butin. Ce dernier, qui était commandant en chef de l'expédition, se prévalait de sa situation pour léser le héros et le forcer à abandonner une partie de ce qui lui revenait dans les trésors confisqués. Profondément humilié, le jeune guerrier refusa de continuer à combattre et alla se plaindre à sa mère, la nymphe Thétis. Celle-ci était déjà au courant de l'injustice dont son fils était la victime, elle sortit des vagues écumantes et tenta de le consoler. Achille lui demanda alors d'intercéder auprès du roi des dieux, Zeus, pour que les armées d'Agamemnon soient défaites par l'ennemi. La mère aimait trop son fils pour lui refuser quoi que ce soit. Elle accéda à sa prière et les Grecs se mirent à perdre bataille après bataille. Pendant ce temps-là, le héros restait paresseusement assis sous sa tente, à côté de son épée et de sa lance devenues inutiles. Devant le succès de leurs troupes, les Troyens devinrent comme fous. Un jour, ils arrivèrent même à réussir une percée dans le camp adverse et commencèrent à mettre le feu aux navires. Mais l'odeur de la fumée ne fit même pas sortir Achille de sa retraite.

Lorsque le danger qui menaçait les Grecs devint très pressant, Patrocle accourut chez son ami en le suppliant de lui prêter son armure puisqu'il ne voulait plus se battre. Les Troyens s'imagineraient peut-être que le brave Achille se lançait à nouveau dans la bataille et ils reflueraient certainement vers la cité.

Le héros consentit au subterfuge et prêta à son fidèle compagnon son éblouissante armure.

« Ne te laisse pas entraîner au plus profond de la mêlée », lui conseilla-t-il. « Ne fais qu'apparaître, l'aspect

seul suffira. Dès que les Troyens auront quitté le camp, reviens immédiatement ici. Je ne consens à ce prêt que pour sauver notre flotte. » Patrocle se vêtit promptement, se coiffa du casque orné d'une crinière de cheval et choisit deux lances. Il laissa celle d'Achille à sa place, car personne hormis ce dernier ne parvenait à la soulever. Enfin il se munit de son bouclier et se mit à la tête des troupes grecques. À sa vue, l'ennemi se mit à trembler comme une prairie sous le vent. Ayant reconnu la redoutable armure, ils s'imaginèrent que le héros s'était réconcilié avec Agamemnon et qu'il reprenait la lutte. Les lignes

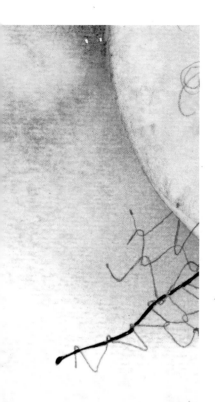

troyennes se clairsemèrent, puis les guerriers amorcèrent une retraite précipitée. Les Grecs, sous la direction de Patrocle, continuèrent à les repousser, bouclier contre bouclier, casque contre casque, tel un mur vivant. Leur nouveau chef, grisé par la réussite de sa ruse, se frayait un chemin avec son épée pour aller se mesurer au commandant troyen Hector. Alors il oublia le conseil d'Achille et se laissa surprendre en terrain découvert. Aussitôt entouré par ses adversaires, l'un d'eux réussit à le blesser et Hector l'acheva d'un coup mortel. Autour de sa dépouille se déroula un combat acharné entre les deux camps qui se disputaient le corps du jeune homme. Bien qu'Hector se soit déjà emparé de la magnifique armure, les Grecs réussirent à rapporter le défunt avec eux.

Quand Achille, qui était resté dans sa tente, apprit la triste nouvelle, il fut accablé de chagrin. Il répandit de la poussière sur sa tête et l'écho de ses plaintes retentit tout le long de la côte. Entendant ses gémissements, sa mère quitta son abri marin et alla rendre visite à son malheureux fils. Elle le trouva brûlant d'une fureur vengeresse. Le regardant avec tristesse, elle lui dit :

« Si tu tues Hector, la mort te frappera bientôt à son tour. »

« Je préfère cent fois mourir », s'exclama Achille, « que de laisser en vie le meurtrier de mon ami. »

Alors la nymphe lui rapporta de chez Héphaïstos une autre armure encore plus éblouissante pour remplacer celle qui avait été perdue. Le héros se réconcilia avec Agamemnon et vêtu de sa nouvelle cuirasse se rua au combat comme un lion. Il ébranla les lignes ennemies et massacra d'innombrables guerriers en cherchant du regard Hector parmi les belligérants. Quand enfin il l'aperçut dans la mêlée, il se précipita sur lui.

À sa vue, l'intrépide Hector ne put s'empêcher d'être effrayé : il s'enfuit. Il pressentait que c'était la mort qui le poursuivait. Par trois fois Achille fit le tour de la ville en poursuivant son adversaire, puis il parvint à le transpercer d'une lance. Encore sous l'empire de la colère, il attacha le cadavre à son char et comme ultime punition le traîna dans le sable tout autour de la cité, sous les yeux des Troyens qui l'observaient du haut des remparts.

Au cours de la nuit le vieux roi Priam se rendit au camp grec pour supplier le héros de lui rendre son fils. Sa requête émut Achille, qui se souvint de sa propre famille, et il rendit la dépouille d'Hector. Ce dernier put ainsi avoir des funérailles solennelles.

Conformément à la prédiction de sa mère, Achille rejoignit bientôt son ennemi au royaume des ombres : une flèche de Pâris l'atteignit au talon, seul endroit vulnérable de son corps. Ce fut un immense chagrin pour les Grecs et même l'océan profond gronda en témoignage de sa peine. Les nymphes sortirent des eaux pour le pleurer. Les Muses lui chantèrent des chants funèbres. Ces plaintes et ces gémissements se poursuivirent pendant dix-sept jours. À l'aube du dix-huitième, les guerriers enflammèrent le bûcher du héros et le feu, nourri d'huiles précieuses et d'animaux immolés, monta jusqu'aux cieux pendant toute une semaine.

Deux de ses compagnons, Ajax et Ulysse, se disputèrent alors son armure. Elle aurait dû revenir de droit à Ajax, mais Agamemnon et Ménélas l'attribuèrent à Ulysse. Ajax supporta

mal cette injustice. La colère s'empara de lui, lui suggérant de massacrer tous les chefs grecs y compris Ulysse. Une nuit, il quitta sa tente muni de son épée et se mit à la recherche de ses ennemis. Mais la déesse Athéna sauva les chefs grecs en rendant Ajax fou. Celui-ci, dans son égarement, confondit les hommes qu'il haïssait avec un troupeau de moutons qu'il combattit comme des adversaires humains. Il en captura même quelques-uns et les ligota. L'aurore éclaira ce surprenant tableau. Enfin dégrisé, l'auteur de cet ignoble carnage ne put supporter sa honte et mit fin à sa vie ; les Grecs perdirent en lui un autre grand héros.

C'est alors qu'Ulysse parvint à enlever le prophète de Troie et obtint de lui la prédiction suivante : la cité allait être conquise, mais il faudrait le concours de deux nouveaux guerriers, le fils d'Achille, Néoptolème, et le fameux Philoctète à qui Héraclès avait légué son arc et ses flèches mortelles.

Ulysse les fit donc venir. Philoctète tua Pâris, mais Troie continua à résister.

Comme ni la force ni les armes ne suffisaient à l'ébranler, Ulysse songea à employer la ruse. Déguisé en mendiant, il entra dans la ville afin d'espionner les assiégés. C'est ainsi qu'il rencontra la femme de Ménélas,

Hélène, qui attendait avec impatience de retourner dans son pays natal. En rentrant dans son camp, le héros fit bâtir un gigantesque cheval de bois. Ulysse et ses plus intrépides compagnons se cachèrent dans les entrailles du faux animal. Quant aux autres guerriers, ils mirent le feu à leur camp, s'embarquèrent sur leurs bateaux et quittèrent le port comme s'ils levaient le siège. Mais ils n'allèrent pas bien loin et se cachèrent derrière les rochers d'une île voisine.

C'est avec joie que les Troyens virent le départ de leurs adversaires. La bonne nouvelle se répandit dans la ville. Les portes de la cité s'ouvrirent et le peuple libéré défila sur la plage. L'énorme animal fut le principal objet de sa curiosité. Soudain les hommes aperçurent un Grec, laissé là-bas par l'astucieux Ulysse, qui tentait de se dissimuler sur une falaise. Se voyant découvert, celui-ci tomba à genoux en suppliant de l'épargner :

« Ne me tuez pas, braves gens : je viens à peine d'échapper à mes concitoyens qui voulaient me sacrifier, comme Iphigénie, pour s'assurer une bonne traversée. Ils ont construit ce cheval sur ordre des dieux en offrande à votre cité. »

Peu méfiants, les Troyens le crurent. Seul le prêtre Laocoon, fils de Priam, pressentit que ce don empoisonné serait la ruine de Troie, et il essaya de les mettre en garde contre la traîtrise de l'ennemi :

« Ne croyez pas les Grecs, ne croyez pas les dieux ! Jetez ce cadeau grec à la mer ou bien brûlez-le, mais ne l'introduisez pas dans votre ville. »

Comme il disait ces mots, deux monstrueux serpents sortirent des profondeurs de l'océan et rampèrent jusqu'à lui. Ils s'enroulèrent autour de son corps et de ceux de ses fils et les étouffèrent. Ainsi le Destin avait décidé de la perte de la cité.

Les Troyens interprétèrent ces morts comme un jugement des dieux et entreprirent immédiatement de haler l'animal. Bientôt celui-ci franchit l'enceinte de la ville. La journée se termina en banquets joyeux, puis tous s'endormirent d'un sommeil tranquille.

Alors, dans le silence de la nuit, Hélène monta sur les remparts et, munie d'une torche, fit aux Grecs embusqués dans l'île les signaux convenus. Pendant ce temps, les héros quittèrent les entrailles du cheval de bois où ils étaient cachés et ouvrirent les portes de la ville au gros des troupes qui venaient de la mer.

Le fracas des armes, les cris et la fumée réveillèrent les Troyens. À moitié endormis, ils se saisirent de leurs armes. Aucun abri ne fut épargné par la bataille. Troie brûlait

de toutes parts. Le roi Priam et toute sa famille furent massacrés. Ménélas retrouva Hélène et s'embarqua avec elle. Sur les lieux du combat, il ne restait que des cendres et du sang.

Ainsi finit la guerre de Troie dont personne n'eut à se réjouir. Les Troyens morts, leurs femmes et leurs enfants furent emmenés en esclavage.

Quant aux Grecs, leur triomphe fut éphémère : ceux qui n'étaient pas disparus pendant l'interminable siège périrent au cours de la traversée de retour. La mer déchaînée engloutit tout le butin qu'ils ramenaient avec eux, ainsi que les navires et de nombreux marins. Quant aux rescapés qui retrouvèrent le sol natal, ils furent accueillis comme des étrangers dans leurs familles : les fils ne reconnaissaient pas leurs pères et les épouses cherchaient en vain sur leurs visages vieillis les traits de l'être aimé !

La guerre était finie mais les souffrances continuaient.